Petites pensées pour vivre plus léger

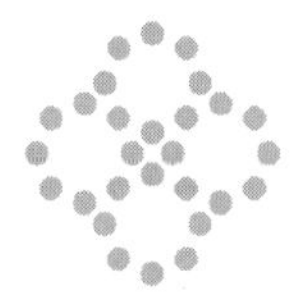

Françoise Réveillet

Petites pensées pour vivre plus léger

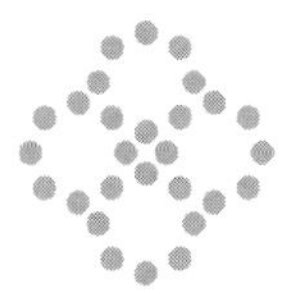

MARABOUT

À mes filles

et

À tous ceux qui aiment s'aventurer
dans des contrées nouvelles,
Et qui vont de l'avant
Sans craindre de se tromper ni de se perdre
sur leur chemin.

Remerciements à

Serge Abril
Clémence Fichard
Dominique Prost

Du même auteur :
10 minutes pour soi, Marabout 2009
10 minutes de petits bonheurs, Marabout 2010
1500 gestes et astuces pour se sentir bien chaque jour,
Prisma Presse/Femme Actuelle, 2008
Secrets de beauté d'antan, Flammarion, 2006

Sommaire

Avant-propos

Si l'on considère chaque nouveau jour comme l'événement le plus important de sa vie, qui d'entre nous aurait envie de gaspiller ce moment d'exception ?

Les philosophes – de l'Antiquité à nos jours, de l'Orient à l'Occident – insistent sur cette vérité première : l'instant présent est unique, tangible et précieux parce qu'éphémère. On ne pourra pas revivre une nouvelle fois le moment vécu ; c'est là notre seule réalité.

C'est dans cette conscience de la temporalité d'un quotidien tissé de mille petites choses graves, pénibles, agréables, soudaines, profondes, insignifiantes, légères, amusantes,...que notre avancée dans la vie prend tout son sens et nous invite à la légèreté suprême.

La thématique du voyage, si caractéristique de notre cheminement journalier, m'a inspirée dans l'écriture de ce livre que j'ai voulu aussi libre et spontanée que le permet la rédaction d'un carnet de route. Ce voyage de la vie nous met en présence des pires dangers comme des plus extraordinaires rencontres. Nier les risques en voyageant comme s'ils n'existaient pas ou ne s'attendre qu'au pire nous exposent à de très grandes souffrances. C'est en avançant dans la conscience de soi, lucide et confiant, que l'on peut se trouver et découvrir son chemin.
L'accomplissement de chaque journée requièrt finalement les mêmes qualités que celles exigées pour le voyage : un mélange de courage, d'adaptation, d'acceptation, de curiosité, d'esprit positif, de volonté, de persévérance, d'humilité, de sensibilité, de générosité..., nécessaire contrepoids à nos incertitudes, nos découragements,

nos fragilités ou nos échecs, sans oublier la légèreté, notre meilleur compagnon pour avancer.
Pour se déplacer facilement et saisir en toute liberté les opportunités qui se présentent, nous devons apprendre à nous délester de tout bagage inutile. On a souvent l'habitude de transporter de nombreuses choses dont on pense qu'elles nous serviront peut-être un jour (mais on ne sait pas quand !), de garder des vêtements, des objets, des meubles, des ustensiles ou autres choses inutiles que l'on n'emploie pas pour les mêmes raisons ou d'amasser de l'argent au cas où l'on pourrait en manquer... Bien plus que les choses elles-mêmes, c'est l'attitude de garder qui nous pèse. À l'intérieur de soi, on empile des ressentiments, des peurs, des colères, de la tristesse et bien d'autres sentiments parasites... qui enchaînent notre vie.

Le transport de ce capharnaüm a un prix, celui d'augmenter notre peine, de freiner inévitablement notre marche et d'empêcher que nos yeux voient les formes, que nos oreilles entendent les sons, que nos sens fonctionnent avec une acuité telle que l'on puisse jouir de chaque instant. Se débarrasser de tout ce qui nous encombre aussi bien autour qu'à l'intérieur de soi – c'est apprendre à faire confiance à la vie, à découvrir de bonnes choses pour soi et à connaître des territoires jusque là insoupçonnés.

Chères lectrices et chers lecteurs, puissiez-vous feuilleter mon livre dans le même état d'esprit que je l'ai écrit, sans dessein figé ni chronologie particulière, en vous laissant seulement porter par votre petite musique intérieure, guide indispensable pour voyager sans gêne.

Prélude au voyage

Un vieux dicton français conseille de ménager sa monture pour voyager longtemps. Qui veut voyager loin et longuement doit donc se préparer physiquement et psychologiquement et veiller, avant toutes choses, à être en forme, à se mouvoir facilement, à bien se nourrir, à se donner chaque jour les moyens d'être bien dans sa tête et d'être heureux. Dans la conscience de soi et de celle du monde qui nous entoure, on franchira plus sereinement chaque étape de la vie.

Prendre soin de soi

Prendre soin de soi, c'est se donner journellement les moyens d'être heureux de vivre, d'être libre dans son corps et dans sa tête. Sans la santé, rien n'est vraiment séduisant ! Une petite douleur physique peut nous gâcher une journée et dénaturer les moments les plus plaisants. Si l'on veut voyager agréablement, notre premier devoir consiste à se maintenir en bonne santé en adoptant les bonnes attitudes et les bons gestes pour soi.

J'aime mon corps tel qu'il est aujourd'hui —.avec ses forces et ses faiblesses — et je le respecte !

« La santé est une chose
que nous nous donnons et non
une chose qui nous est donnée,
un voyage plutôt qu'une destination,
une façon de vivre dynamique, holistique et voulu. »
D'ELLIOTT DACHER

Il est utile d'apprendre à lire les messages que notre corps nous manifeste !

Les bons gestes pour soi viennent avec la patience et la volonté de se faire du bien.

Rien n'est mieux ni moins bien en matière de bien-être

Il importe avant tout, lorsqu'on décide de prendre soin de soi, de le faire à son tempo, selon son désir et ses potentialités du moment. Même si les effets s'inscrivent dans la durée et l'effort, faire un exercice, effectuer une technique ou suivre un conseil nécessitent des tâtonnements. On peut se tromper, abandonner, y revenir ensuite jusqu'à trouver, au fil des expériences, ce qui nous convient le mieux pour se sentir bien.

La certitude d'être dans un état de bonne forme physique nous préserve d'une mauvaise santé.

« Si l'on étudiait physiologiquement et de très près l'inquiétude et la crainte, on verrait que ce sont des maladies qui s'ajoutent aux autres et en précipitent le cours, en sorte que celui qui sait qu'il est malade, et qui le sait d'avance d'après l'oracle médecin, se trouve deux fois malade. Je vois bien que la crainte nous conduit à combattre la maladie par le régime et les remèdes ; mais quel régime et quels remèdes nous guériront de craindre ? »

ALAIN, *PROPOS SUR LE BONHEUR*, FOLIO ESSAIS

Savez-vous qu'un sentiment aussi banal que l'ennui peut provoquer un état de fatigue chronique ?

Se garder de tout excès

Trop boire,
trop fumer,
trop manger,
trop travailler
trop d'émotions,
trop de tensions,
trop de relâchement,
trop d'insomnies… *la liste serait longue !*
nous usent prématurément.

De tous temps, la modération est considérée comme un gage d'équilibre et de longévité.
On vit mieux et plus longtemps si l'on sait trouver le bon geste, la bonne attitude, la bonne humeur, le bon rythme, en phase avec nos besoins ou nos désirs,et si l'on se ménage quotidiennement des plages de récréation et de repos.

À propos de la bonne fatigue

On ne doit pas confondre la fatigue avec la paresse…

La bonne fatigue est le signe que notre corps et notre esprit ont besoin de se reposer, que nos forces naturelles demandent d'être renouvelées dans la détente, le sommeil, la prise de distance ou le plaisir.

Avoir une activité créatrice et vivre dans un climat serein propice à la production ou à l'apprentissage nous prémunit contre la « mauvaise » fatigue, celle qui nous épuise et nous empêche de trouver le vrai repos.

Notre but doit être la recherche constante de la réalisation de soi, seule capable de nous apporter une profonde satisfaction.

Les exercices d'endurance comme la marche rapide, la natation, la bicyclette ou pour les moins de 40 ans le jogging sont d'excellents stimulants à long terme de notre énergie.

20 minutes d'entraînement modéré et régulier, 3 à 5 fois par semaine, contribuent à notre bonne forme physique !

~ ❖ ~

Le chant, véritable élixir du corps et de l'âme

Lorsque j'ai commencé à prendre des cours de chant, je redoutais par-dessus tout les « fausses notes ». Grâce à mon professeur, j'ai vite réalisé que le plus important était de libérer ma voix, de sortir, sans forcer et sans me juger, des sons accordés à ma voix intérieure et au monde qui m'entoure.

Pour découvrir la justesse de sa voix, la respiration est essentielle. Au fur et à mesure que l'on rentre dans la conscience de sa respiration, la voix s'éclaircit progressivement. Le plaisir ne s'arrête pas là. Le chant devient un véritable exercice physique qui détend et nous apporte une sensation de plaisir intense.

Plus présent à soi grâce au yoga

Le yoga comporte une série d'étirements, du plus simple au plus difficile, qui apportent de la souplesse à la colonne vertébrale, notre axe vital, relaxent nos muscles, calment nos tensions et régénèrent nos organes. Les effets du yoga sont vraiment spectaculaires. Au bout de quelques minutes seulement, on se sent à la fois détendu, plus souple et surtout plus « vivant », car l'on apprend à sentir son corps, à l'aimer, à le respecter.

Le yoga n'est pas seulement physique, il a des visées plus élevées. Rappelons-nous que « yoga » signifie en sanskrit « union ». Union entre le corps et l'esprit, mais aussi entre l'élève et le maître, entre notre partie féminine et notre partie masculine, entre nos pensées et leur provenance, entre les individus, entre soi et l'Univers... Les maîtres yogis ont mis au point des postures et des techniques respiratoires pour détendre leur corps et leur esprit mais aussi pour se préparer à la méditation. C'est dans l'effort consenti à travers ces techniques que l'on retrouvera en soi cet état d'être, cet état de présence qui seul peut nous permettre de retrouver notre nature profonde, manifestation de l'énergie créatrice de Dieu.

« Le yoga affirme qu'il est facile de rester en bonne santé, qu'il suffit de modifier quelques habitudes conventionnelles erronées, responsables d'un nombre incalculable de maux, de misères et de décès prématurés. La santé est un droit de naissance ; il est aussi naturel d'être en bonne santé que de naître : la maladie trouve son origine dans la négligence, l'ignorance ou la transgression des lois naturelles. »

ANDRÉ VAN LYSEBETH, *J'APPRENDS LE YOGA*, J'AI LU

La posture du "chat dynamique" en yoga chasse les états de tension et d'agitation

Position de départ : À quatre pattes.
Inspirer par le ventre en relevant la tête et en creusant le dos, puis expirer en baissant la tête, dos rond et ventre rentré.
En accomplissant cet exercice, imaginez que vous êtes en pleine tempête. Pendant l'expiration, expulsez toutes vos tensions dans le vent. Au fil de cet exercice, la tempête s'apaise progressivement. Faites en sorte que l'air entre et sorte tranquillement de vos poumons, jusqu'à ce que vous ressentiez une bienfaisante quiétude intérieure.

L'apprentissage de la fluidité grâce au Qi Gong

Quand on regarde une personne exercer le Qi Gong, on a l'impression qu'elle danse au ralenti, comme si son corps était en apesanteur. On éprouve également cette sensation quand on pratique le Qi Gong.

Cette gymnastique chinoise permet d'harmoniser l'esprit et le corps, et d'évacuer le stress.
C'est un véritable art des postures qui, par des mouvements amples et doux, apporte un meilleur encrage du corps au sol et une plus grande ouverture sur le Monde. On apprend à capter l'énergie vitale présente dans l'Univers et à la faire circuler dans l'organisme.

Le Qi Gong propose des enchaînements souples et variés, souvent inspirés d'attitudes prises par les animaux. On imite ainsi le comportement de la grue, du tigre ou de la tortue et l'on s'imprègne de leurs vertus séculaires.

Le Qi Gong agit sur les réseaux des points d'acupuncture chinoise, facilitant la circulation de l'énergie, ce qui permet de se sentir mieux et d'être en bonne santé. On laisse aller son corps,
avec une respiration lente, intériorisée, c'est-à-dire en portant son attention sur chaque geste. En règle générale,
les mouvements de flexion, de repli permettent de faire entrer l'énergie dans le corps ; les mouvements d'extension
et d'ouverture libèrent cette énergie.

Exercice de Qi Gong pour rééquilibrer l'énergie dans le corps

Quand on a la tête qui bouillonne ou qu'on en a plein le dos, l'exercice de flexion du tronc sur les jambes nous soulage énormément. Avec le bout de ses doigts, on touche la pointe des pieds et l'on fléchit les genoux, la tête totalement relâchée. On reste quelques minutes dans cette position, puis on se redresse en déroulant lentement et délicatement le dos, vertèbre par vertèbre.
Lorsque le geste est libre et la respiration lente, l'énergie circule d'elle-même dans les méridiens, assimilables à des courants d'énergie qui alimentent le corps, à la façon dont les rivières se déversent dans un lac.

Nos aliments terrestres, un carburant de choix !

C'est déjà bien de veiller au bon fonctionnement de son corps et de son psychisme. Mais il ne faut pas oublier que notre santé passe aussi par le choix et la qualité des aliments que nous ingurgitons, notre manière de les consommer, la façon de les cuisiner, notre mode d'alimentation (lenteur/vitesse, régularité/grignotages, bruit/silence…).

Bien manger réclame une attention et une vigilance de Sioux ! On ne peux ignorer les effets de ce que l'on mange et de la manière dont on se nourrit sur notre digestion, notre état de santé, nos comportements, voire sur notre humeur ! Mais ne soyons pas plus royalistes que le roi ! Des tranches de rosette à l'apéritif ou un saint-marcellin coulant à la fin d'un repas seront merveilleusement digérés si l'on oublie leurs conséquences sur notre tour de taille et surtout si l'on prend un immense plaisir à les déguster !

Manger est un acte solennel
presque sacré, dirons-nous !
Et sûrement la pratique
la plus difficile à effectuer assidûment.

« Manger comme un roi le matin,
déjeuner comme un prince,
dîner comme un pauvre. »
DICTON POPULAIRE

Une alimentation frugale, variée, naturelle et équilibrée conditionne notre bonne santé. Les tendances en matière d'alimentation vont et viennent, les régimes foisonnent et se contredisent.
Cependant, il est un principe sur lequel s'accordent la plupart des nutritionnistes : manger peu et de tout, sortir de table satisfait sans pour autant être repu et alléger tout particulièrement le repas du soir.

Qui veut marcher longtemps…
doit manger sain, naturel,
un peu de tout
raisonnablement,
Et…
Lentement

Avis aux gloutons !

« Vous devez mastiquer la boisson et boire la nourriture »

GANDHI

Avec l'habitude de manger toujours plus vite
on fatigue son organisme.

Il faut apprendre
à mâcher,
et à remâcher nos aliments,
à les imprégner de salive,
jusqu'à les réduire suffisamment pour les avaler.

La mastication permet
de savourer ce que l'on mange,
de faire travailler tous les muscles du corps,
et de faciliter la digestion.
Une astuce : *posez vos couverts sur la table entre chaque bouchée.*

Choisir de bons produits,
ou des produits que l'on cultive soi-même
dans son jardin ou sa jardinière,
retrouver des saveurs d'antan,
cuisiner en se concentrant sur ce que l'on fait,
avec amour,
dans un esprit de créativité ou de fantaisie,
donnent à nos repas une saveur inégalable.

Prendre ses repas sur une table agréablement décorée,
dans une pièce bien éclairée,
soigner la présentation des mets sur leurs plats,
s'émerveiller des saveurs les plus subtiles,
converser agréablement dans un climat de partage
amical et détendu,
favorisent une bonne digestion
et augmentent notre sensation de bien-être.

Sortir de table « léger »
=
Savoir apprécier ce que l'on mange !

Accorder plus d'importance à ce que l'on mange qu'à ce qu'on laisse dans son assiette

Inutile de se forcer quand on n'a plus faim ou quand la nourriture ne nous plaît pas. Même si l'on culpabilise, n'oublions pas que tout aliment qui passe dans notre corps a des effets sur notre état de santé.

Quelques recettes d'antan pour avoir du peps

Les Grecs de l'Antiquité connaissaient les vertus fortifiantes du cresson. Dans les écoles militaires, les soldats le consommaient pour venir à bout des marches pénibles et des durs exercices physiques.

Autrefois, pour lutter contre la fatigue, on consommait de l'huile d'olive en bonne quantité. Et en cas d'épuisement, on l'administrait même en injection. Pensons à intégrer régulièrement cet aliment extraordinaire dans nos repas et en cas de coup de pompe.

Le sirop de menthe fraîche est également efficace pour le tonus : Mélanger 20 g de feuilles de menthe fraiches dans 50 g d'alcool à 45° . Laisser infuser pendant 24 heures. Ajouter 100 g d'eau et enfin 200 g de sirop simple. Filtrez. En boire 2 cuillérées par jour avant les principaux repas, pendant environ un mois.

Cure anti-âge

La sarriette a la réputation d'être l'un des stimulants naturels le plus puissant qui soit ! Consommée en infusion avec la sauge, connue pour son action purificatrice de toxines nocives, elle fait merveille pour retarder le vieillissement, hélas inéluctable, de notre organisme.
Verser de l'eau bouillante sur 10g de sarriette et 10 g de sauge, laisser infuser et en consommer deux tasses très chaudes par jour.

Cultiver son caractère

Mesurer les paroles qui sortent de la bouche et la nourriture qui entre dans la bouche.
Pensée inspirée du *Yi King, Livre des Transformations*.

Éminentes, les nourritures de l'esprit

De même que le corps a besoin de nourriture pour se fortifier, notre esprit s'alimente pour s'élever. Il se nourrit de ce que l'on voit, de ce que l'on entend, de ce que l'on pense.

Toute parole, tout écrit, toute pensée établit ses connexions mystérieuses dans notre corps, dans notre psychisme, dans notre entourage et dans les événements de notre existence, et a une CONSÉQUENCE sur ce que l'on est et sur ce que l'on vit. Se nourrir de pensées négatives, de la certitude que rien ne se passera comme on le souhaite… aura hélas autant d'effets sur notre parcours que notre exigence de beauté, d'harmonie ou l'assurance que l'on réalisera son rêve. Conscient de leur influence, on avancera plus confiant.

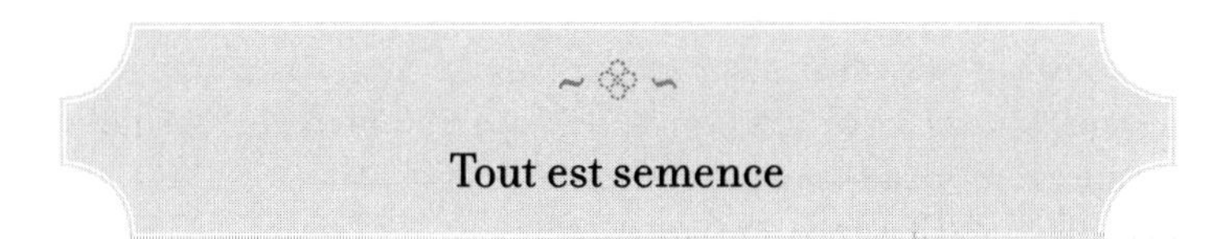

Tout est semence

La pensée qui accompagne chaque pas de notre vie quotidienne est essentielle. Je veux parler de cette aptitude à découvrir dans les choses négatives une occasion de progresser et à nourrir positivement notre pensée. La philosophie, la foi, la contemplation de la nature, l'art, l'amour, la générosité, la solidarité, la gratuité, le sourire, l'humour, la grâce, l'esthétique et bien d'autres joyaux de l'existence nous y aideront.

Semer le bon grain, un exercice quotidien

Écrire dans un cahier intime par ordre d'importance pour soi toutes les choses que l'on désire. Les formuler de façon très claire et sans craindre de trop demander.

Lire cette liste chaque jour au réveil et avant de s'endormir en remerciant le Créateur d'avoir déjà donné l'ordre que nos désirs s'accomplissent.

Y penser de temps en temps et associer à ses souhaits des scènes imagées dans lesquelles on s'implique comme acteur, pour leur donner plus de force.

Il est recommandé de n'en parler à personne, car les commenter à quelqu'un dilue la force de la pensée.

Voilà, c'est tout !

Indéniablement, réfléchir nous fortifie

« Tout doit devenir aliment. Art de tirer de la vie de toute chose.
Le but de la vie est de tout animer. Le plaisir est vie.
Le déplaisir est un moyen en vue du plaisir –
comme la mort un moyen en vue de la vie. »

LE MONDE DOIT ÊTRE ROMANTISÉ, *POÉTICISMES*, NOVALIS

Voyager dans les pages d'un livre
comme si notre rêve se tenait
là
blotti entre les mots.

Lire ou relire les écrits des Sages des siècles passés
nous ouvrent à leurs lumières
et nous éclairent sur notre vérité profonde.

« Seuls mettent à profit un loisir ceux qui se vouent à la sagesse ; ils sont les seuls à vivre, car ils ne se contentent pas de bien gérer leur existence mais y ajoutent tous les siècles, et toutes les années qui les ont précédés leur sont acquises. À moins d'être de la plus totale ingratitude, nous reconnaîtrons que les illustres fondateurs des saintes doctrines sont nés pour nous, qu'ils ont préparé notre vie. Progresser vers les vérités suprêmes tirées des ténèbres, vers la lumière, c'est être guidé par le labeur d'un autre. Aucun siècle ne nous est interdit : ils nous sont tous ouverts et si, par la grandeur de nos aspirations, nous tendons au-delà des petitesses humaines, un grand espace de temps est à notre disposition. Tout nous est permis : discuter avec Socrate, nous interroger avec Carnéade, nous reposer avec Épicure, vaincre la nature humaine avec les stoïciens, la dépasser avec les cyniques. Puisque la nature nous permet de nous introduire dans tous les siècles comme participants, pourquoi ne pas sortir de l'exigu, fragile passage qu'est notre vie, et nous plonger de toute notre âme dans ces réflexions infinies, éternelles, partagées avec les esprits les plus élevés ? »

SÉNÈQUE, *LA VIE HEUREUSE*, ARLÉA

~ ❖ ~

« Par la connaissance, j'accueille Dieu en moi ;
par l'amour, je pénètre en Dieu. »

Dans ses *Sermons*, Maître Eckhart, théologien et mystique allemand du XIIIème siècle, nous invite à cultiver notre intériorité afin d'entrer en contact avec cette part divine qui se trouve enfouie en chacun de nous.

Mettre de la beauté dans sa vie

« La splendeur d'un ciel étoilé dans le bleu de la nuit,
la magnificence de l'aurore ou du couchant partout dans le monde,
la majesté d'un grand fleuve traversant les défilés rocheux
et fécondant les plaines fertiles,
La montagne haut dressée avec son sommet enneigé,
ses pentes verdoyantes et ses vallées fleuries,
une oasis éclose au cœur d'un désert,
un cyprès debout au milieu d'un champ,
la superbe course des antilopes dans la savane,
l'envol d'un troupeau d'oies sauvages au-dessus d'un lac.
Toutes ces scènes nous sont si connues qu'elles en deviennent presque des clichés. Notre pouvoir d'étonnement et d'émerveillement en est émoussé, alors que chaque scène, chaque fois unique, devrait nous offrir l'occasion de voir l'Univers comme pour la première fois, comme au matin du monde. »

FRANÇOIS CHENG, *CINQ MÉDITATIONS SUR LA BEAUTÉ*, ALBIN MICHEL

Faire bonne route

Avancer dans les meilleures conditions physiques, psychologiques, sert notre dessein quotidien. Ce principe s'applique dès notre réveil et se manifeste tout au long de la journée par des haltes salutaires, utiles pour reprendre son souffle et repartir de plus belle.

Partir d'un bon pied

Dès le réveil, nos premières pensées – hélas pas toujours agréables - assaillent notre esprit et chassent nos rêves. Notre premier regard, notre premier geste, notre première pensée auront une grande influence sur la manière dont nous allons vivre cette journée et, de ce fait, sur son déroulement.

Avant même d'avoir posé un pied au sol, un premier réglage semble donc primordial : repousser ce qui vient à notre insu obscurcir cette nouvelle journée et transformer en positif ce qui ne le serait pas !

Puis une fois debout, on s'appliquera à effectuer quelques gestes essentiels à notre bien-être pour stimuler notre vitalité.

Le matin, je me déploie
Avec paresse
Je prends mon temps
En silence
Et je regarde au loin

Un réveil serein en six étapes

> Attraper son rêve avant qu'il ne s'échappe et se donner quelques instants pour le réviser ou le comprendre.
> Bâiller à gorge déployée pour détendre son visage et bénéficier dès le matin d'une belle énergie dans tout le corps.
> S'étirer comme un chat dans son lit et sentir ses muscles et ses articulations se DÉROUILLER.
> Allongé sur le dos, faire quelques respirations profondes, en se concentrant sur les mouvements de sa respiration et les sensations que celle-ci produit en soi. En un clin d'œil, cette technique simple balaie toutes nos pensées parasites.
> Se lever doucement pour ménager son dos. Pour cela, il suffit de se tourner sur le côté et de remonter les jambes vers la poitrine. En s'appuyant sur un bras, on peut alors s'asseoir tranquillement sur le bord du lit.
> Boire un verre d'eau à jeun et à petites gorgées, avec la conscience que cette eau purifie et régénère notre corps.

Les bons gestes matinaux pour passer une bonne journée

Dès le réveil, quelques respirations profondes suivies d'un grand verre d'eau débarrassent le corps de ses toxines et préservent notre capital énergétique. Veiller au bon fonctionnement du transit intestinal, boire en quantité suffisante pour uriner sont essentiels afin que les toxines séjournent le moins longtemps possible dans le corps.

De même, un peu d'exercice physique pour activer la transpiration libère les toxines de la peau et permet ainsi au corps de respirer en profondeur.

Ces réflexes basiques purifient l'organisme, agissent sur le bon fonctionnement des organes et de la circulation sanguine et, par extension, sur la vitalité et l'équilibre du corps et de l'esprit.

Un corps en bonne santé est un corps bien oxygéné

Il existe de nombreuses techniques fondées sur la respiration pour activer l'énergie vitale à travers notre corps et notre esprit, comme le yoga, la danse, le sport, le Qi Gong, les arts martiaux, le chant, le jeu, le rire également… Pour en savoir plus, je vous invite à lire mes précédents livres* dans lesquels je décris de techniques simples et à la portée de tous.

Lorsque les difficultés ou les épreuves se manifestent à l'intérieur et autour de soi, on retrouve son équilibre en replaçant la conscience sur sa respiration. On inspire et on expire par le nez, tranquillement, sans saccades et silencieusement, en consacrant le même temps à chaque mouvement de respiration. On se détend… La conscience de la respiration nous rapproche de l'essence même de la pure existence.

**10 minutes pour soi* et *10 minutes de petits bonheurs*, chez *Marabout*

Exercice de respiration consciente au réveil

1 – Debout, la tête dans l'alignement de la colonne vertébrale bien droite, les épaules basses, fermez les yeux pour une meilleure concentration.

2 – inspirez tranquillement par le nez en comptant jusqu'à 5 par exemple. Votre ventre s'arrondit sous la poussée du diaphragme et vos poumons s'emplissent d'air.

3 – Puis expirez lentement sur le même temps, tandis que votre diaphragme remonte.

Ce mouvement de va-et-vient à la fois ample, doux et silencieux permet un véritable massage de votre abdomen. En quelques secondes, vous faites le plein d'énergie et profitez ainsi des bienfaits de l'oxygénation de votre corps tout au long de la journée !

Activer notre énergie vitale à jeun !

Pour les Orientaux, respirer ne nous approvisionne pas seulement en oxygène, mais se comprend comme le souffle qui nous relie directement à l'Univers et influe sur notre santé.
Au réveil, avant de se mettre dans le rythme de la journée, il est important de s'accorder quelques minutes d'attention et d'effectuer – à jeun – quelques exercices respiratoires, afin de stimuler notre énergie vitale.
Les exercices effectués à jeun agissent directement sur notre énergie vitale, parce qu'ils ne se mélangent pas à l'énergie alimentaire.

Les nouvelles sont si amères
Que je fais
La sourde oreille

Pour commencer la journée, préférer le silence ou une musique agréable aux informations qui parasitent notre belle énergie du matin.

Inestimable, le plaisir de se lever tôt !

Avant de rentrer dans le rythme matinal de la famille ou du labeur quotidien, se mettre dans sa bulle en se levant une ou deux heures avant le lever habituel procure un bienfait extraordinaire. Lorsque je me lève vers 6 heures du matin, j'ai la sensation que ces premières heures m'appartiennent ; la journée me semble immense. Après le petit déjeuner, je monte dans mon bureau pour écrire ou lire... Parfois, je ne fais rien, je réfléchis, je regarde le jour se lever... je jouis pleinement de ce moment tout à moi, silencieux, exempt de toute agitation. Mes idées sont limpides.

Haltes bienfaisantes

Le meilleur antidote au surmenage est d'instaurer des petites parenthèses dans notre journée. On s'arrête quelques minutes, on prend ou l'on reprend son souffle, on se repose, on change de rythme ou d'activité, on décide de ne rien faire, on rêve, on invente ou l'on s'invente une autre vie… Ces petites pauses agissent comme de véritables entreactes, nous font prendre du recul sur ce que l'on fait, nous ressourcent et nous ramènent au moment présent, au plaisir d'être. Loin de nous éloigner de notre but, elles nous y conduisent au contraire plus sûrement.

Instaurer un nouveau rituel dans sa vie de tous les jours

S'étirer chaque matin dans son lit, se brosser les dents matin et soir sont des rituels qui n'exigent pas de prouesses particulières. C'est ainsi que nous pouvons transformer de bons gestes en habitudes, si nous voulons changer quelque chose dans notre vie.

Y a-t-il un nouveau rituel que vous aimeriez intégrer dans votre vie de tous les jours ?
Une nouvelle habitude qui vous apporterait de la fantaisie et vous ferait du bien ?
Ce peut être faire du sport, danser une fois par semaine, méditer quelques minutes chaque matin, marcher 10 minutes par jour, lire une bande dessinée, faire du théâtre…

S'offrir une parenthèse dans la ville

J'aime me promener au bras de mon compagnon dans les jardins du Luxembourg. Dans ce lieu où le temps suspend sa course, on parle de choses et d'autres, on s'extasie sur la couleur du ciel ou la forme d'un nuage, on discourt de la couleur des feuilles ou de celle des chaises "un mélange de bleu et d'ocre jaune me dit-il !" on s'abandonne à la rêverie…

Dans les moments de tristesse,
Humer l'air des sous-bois
Enlacer un tronc d'arbre
Parler aux plantes
Aux insectes
APAISE

J'aime,
Lorsque je me promène
Odorer le vent
Penser le temps
Sentir
Réfléchir

Avant la tempête
Je m'envole
Comme les hirondelles
Vers mon toit
Le ciel

Le poids de la matière
Posée à mes pieds
Je regarde l'horizon
Mon espoir se fond
Dans la surface du soir

L'heure grise
Annonce peut-être
Une nuit sans lune !

Si l'on a la chance d'avoir un jardin, aménageons-le en un îlot de paix et de beauté. Un lieu où l'on peut se retirer seul ou en compagnie.

Écouter les mystères des choses non perceptibles
Entendre les bruits
Sentir les odeurs
Qui s'épanouissent dans une légèreté bien cachée

La relaxation éclair, méthode simple et puissante pour se détendre en quelques secondes

Entre deux réunions, avant ou après une activité stressante, lorsqu'on se sent fatigué ou quand on n'a pas les idées claires, se relaxer en quelques secondes est d'un grand secours !

Pour cela, couchez-vous sur le dos, les bras et les jambes légèrement écartées, les paumes de main tournées vers le ciel et les petits orteils orientés vers le sol.

Laissez-vous aller sur le sol comme une poupée en chiffon, les membres lourds, tout en vous concentrant sur votre respiration abdominale. Dans cette posture, faites deux ou trois respirations.

La relaxation éclair présente l'avantage d'être rapide, facile à exercer — y compris en position assise — et surtout très bénéfique sur le plan physique et mental.

Pointer et fléchir ses pieds R E L A X E N T énormément !

C'est un exercice formidable pour relancer la circulation sanguine des jambes et se détendre.

1 —Quittez vos chaussures puis allongez vos deux jambes devant vous, sans plier les genoux.

2 — Pointez votre gros orteil le plus avant possible
pendant 5 à 10 secondes.

3 — Fléchissez votre pied en arrière, c'est-à-dire en direction
de votre corps durant le même temps.

Mon conseil : respirez lentement et renouvelez
cet exercice une dizaine de fois.

Se doucher à grande eau et faire peau neuve.

Avant d'aller dormir, faire ruisseler l'eau sur notre corps détend et, en même temps, nous lave des soucis de la journée.

Une journée RIEN QUE POUR MOI !
Sens dessus-dessous
Où je flâne en peignoir
Et prends du plaisir
À lire
À paresser
À manger
À penser
À dormirrrrrrrrrrrrrrrrrrrrr

Et dans ce délicieux désordre
À me retrouver

Le sommeil est un remède naturel

Bien dormir permet à notre corps et à notre esprit de récupérer des fatigues de la journée,
de se détendre profondément
et de renouveler notre énergie.

Dormir
Avant de prendre une décision
Quelle sage précaution !

Pour bien dormir, une tisane de camomille

Un bon sommeil efface les fatigues physiques et nerveuses.
Si l'on a du mal à s'endormir ou si l'on veut s'assurer un sommeil réparateur, une bonne tisane de tilleul, de valériane, de fleur d'aubépine ou encore de camomille, remède classique séculaire, fera l'affaire !
Verser une tasse d'eau bouillante sur une cuillérée à café de fleurs de camomille et boire avant de vous coucher.
Il faut savoir que trop concentrée, elle produit l'effet inverse et, trop diluée, elle n'a aucun effet !

Avant de s'endormir, se remémorer trois bons moments
de la journée contribue à redonner du sens à une journée
souvent vite consommée.
On peut également les écrire dans son journal. Les notes
que l'on prend ont l'avantage de fixer les choses dans le temps.
Leur relecture peut nous être très utile pour mettre en lumière des
situations que nous avons oubliées ou pour ensoleiller
un jour de tristesse.

Avancer en toute légèreté

Dans ce chapitre, nous sommes au cœur du sujet qui nous occupe, la LÉGÈRETÉ. Prendre soin de soi nous amène tout naturellement à nous recentrer sur nos besoins essentiels, sur nos désirs et à définir nos priorités. Revenir à notre corporalité, c'est aussi réaliser à quel point il est important de veiller à l'équilibre de notre corps et de notre esprit. Dans une conscience accrue de la nécessité d'avancer léger, on aura à cœur de se libérer des poids, tant matériels que psychiques, que l'on porte.

S'alléger

Les objets inutiles, lourds nous usent prématurément. Les pensées et les émotions rigides affectent notre énergie mentale et affective. Avez-vous remarqué qu'on retrouve une nouvelle énergie en se délestant de ces chaînes à tous niveaux. Quelle sensation extraordinaire que de ne plus se sentir freiné par un objet, une possession ou une idée ! Jeter, donner de vieux vêtements, vider son grenier, accepter une nouvelle vision des choses, un avis différent du sien, laisser tomber ses vieux réflexes… nous apportent de nouvelles et stimulantes sensations. En se débarrassant du superflu, de ce qui pèse à l'extérieur et à l'intérieur de soi, on se déconditionne, on se recentre sur soi, on se sent plus lucide, plus alerte… enfin léger et libre de réaliser nos rêves comme à l'époque de nos jeunes années !

« Il faut être léger comme l'oiseau et non comme la plume »
PAUL VALÉRY, *TEL QUEL*

Quand on a tendance à accumuler les choses dans sa garde-robe, il est bon d'établir pour soi-même une règle consistant à se débarrasser d'un vieux vêtement quand un nouveau entre ! Au plaisir de réduire son fouillis s'ajoutera la sensation de renouveau.

« Ce n'est pas tant le nombre et la diversité de nos possessions qui est le problème, mais l'attachement que nous leur portons. Quand l'attachement devient de plus en plus fin et qu'il se brise, nous découvrons alors une nouvelle liberté : celle de ne plus craindre de perdre ce que nous croyions être à nous. »

DOMINIQUE LOREAU, *L'ART DE L'ESSENTIEL*, FLAMMARION

Emporter le strict minimum avec soi apporte un grand confort à nos déplacements quotidiens. On y gagne sur tous les plans : on retrouve facilement ses affaires. Sans fardeau, on se sent plus léger, plus alerte pour accomplir sa journée.

Comme un bruit de fond qui s'arrêterait soudain !

On ne se rend généralement pas compte du bruit de fond généré par la circulation, la rue ou la climatisation quand tout fonctionne en continu, jusqu'au moment où le bruit cesse ; À ce moment-là, on éprouve une sensation de soulagement. On se sent bien.

Eckhart Tolle, écrivain canadien d'origine allemande prône la valeur spirituelle de l'attention et souligne qu'il en va de même avec nos pensées, réactions, émotions, désirs ou aversions qui nous agitent en permanence. Tout cela ne provoque pas nécessairement un état de douleur ou de souffrance aigües, mais plutôt une sensation quasiment continue d'insatisfaction ou de nervosité dont on n'a pas toujours conscience, et que l'on peut même assimiler à un état normal. Certains d'ailleurs consomment la nourriture, l'alcool, les drogues, le travail, la télévision ou les biens matériels comme un anesthésiant, afin de supprimer cette sensation d'incommodité de fond.

La voix de la conscience peut se faire entendre de façon accidentelle ou inattendue. Mais le plus souvent, elle se manifeste dans le silence et la solitude. L'état de présence à soi nous aide à prendre du recul sur cette sensation diffuse de malaise physique et moral. Et l'on s'aperçoit que plus on est présent à ce qui se passe à l'intérieur de soi, plus notre conscience se développe dans les faits ordinaires de notre existence.

Le bruit
Doit écouter
Le silence

Entrer en silence

Seule la pratique du silence – ne serait-ce que quelques minutes par jour – permet la rencontre avec soi-même. Le silence est présent partout : au travail, chez soi, dans la rue, dans le métro, dans son jardin... à condition de le solliciter pour qu'il se manifeste.
À vrai dire, c'est un exercice comme les autres.
Il nous suffit de déplacer l'attention vers le corps grâce à une respiration consciente ou vers un ressenti sensoriel, par exemple le toucher d'une main, le battement du cœur... Le retour à la conscience du corps chasse les pensées parasites : on les voit alors défiler comme si l'on en était le témoin. Petit à petit, on commence à ressentir la paix qui vient de l'intérieur.
C'est de ce calme intérieur que naît le vrai silence, celui qui apaise et donne de la densité à ce que l'on vit.

Silence radio

Comme il est doux de temps en temps,
de se couper de toute source de stimulation sonore ou visuelle :
débrancher son téléphone, son ordinateur, ses écouteurs,
éteindre la télévision, la radio, la chaîne hifi…
et faire le silence autour de soi.

Assis, en toute tranquillité,
les yeux fermés,
on peut alors plus facilement
se concentrer sur sa respiration et sur l'immobilité des choses.
Une onde de calme et de sérénité
imprègne notre corps et notre esprit.
Notre conscience est absorbée par l'instant présent.

« *Nous empoisonnons notre vie par des détails. Simplifions, simplifions.* »
HENRY D. THOREAU

Certains se compliquent tellement la vie au quotidien qu'ils ne voient plus la beauté et la poésie de ce monde.

SIMPLIFIONS
et nous libérerons ainsi une énergie considérable, que nous pourrons mettre au service de desseins plus élevés.

La théorie des trois tas

Face à une décision à prendre, un problème d'organisation – qu'il s'agisse d'un voyage, d'un tri à faire dans ses affaires personnelles ou professionnelles –, la méthode des trois tas est imparable. Elle consiste à élaborer trois tas de la façon suivante :

Rassembler dans un premier tas ce qui est essentiel ;
Dans le deuxième, ce qui semble utile et incontournable ;
Et dans le troisième, regrouper tout ce qui est inutile, futile, superflu…
Le premier tas est généralement minuscule, le deuxième un peu plus gros et le troisième énorme. Les décisions s'imposeront d'elles-mêmes.

Dans les moments de doute à propos de soi ou de son entourage, dresser une liste :

de ses succès,
des gens qui comptent,
des désirs accomplis,
des très bons moments que l'on a vécus…

RECONFORTE

Passé le cap de la perplexité dans laquelle nous plonge inévitablement la feuille blanche, et au fur et à mesure de notre réflexion, les idées viennent à nous. Bien souvent, l'on s'étonne d'avoir pu aligner tant de choses positives !
La liste, bien plus qu'un journal, nous permet de clarifier ce qui est diffus, de transformer les facteurs de stress en sources de satisfactions, de donner du contenu positif à notre vie tout en faisant un point sur soi.

Le ménage, petite méditation matinale

Le ménage de bon matin recèle des vertus qui nous transportent bien au-delà du simple nettoyage. Au rythme des gestes qui lavent, époussètent, rangent…, notre énergie vitale s'éveille tandis que nos idées s'éclaircissent et se mettent en place pour la journée.

Désencombrer sa maison

L'accumulation d'objets et de biens s'accompagne le plus souvent du parasitage progressif de nos pensées. En prendre conscience nous amène alors à ranger, à trier, à nettoyer… et à ne plus considérer ces tâches comme d'épouvantables corvées, mais plutôt comme le petit plus nécessaire à notre bien-être. Et l'on s'aperçoit très vite que le désencombrement de notre espace de vie a des effets libératoires sur notre vie personnelle… De quoi avoir envie de continuer !

Tout est à nous !

Le ciel, le soleil, la terre, la lune, la rivière que nous traversons, la montagne qui surplombe notre maison…, nous en jouissons sans que nous ayons à l'acheter. Quand on réalise cela, on se donne la possibilité de voir plus grand ! Nous sentant relié à quelque chose d'immense, d'indestructible, on se libère de la nécessité de posséder et d'accumuler des biens d'une valeur qui sera toujours inférieure à ce que la Nature nous offre.

Moins de biens… plus de richesses

On peut se débarrasser du matériel superflu:
une façon de lâcher prise
et d'affirmer que la vie se charge de nous donner
ce dont on a besoin.

L'attention, enfin libérée des pensées matérielles, on apprend alors à vivre à l'intérieur de soi et l'on découvre généralement des trésors insoupçonnés. Un nouveau champ de créativité apparaît et nous ouvre la voie de l'essentiel.

« Heureux celui qui se contente des biens qui s'offrent à lui aujourd'hui, quels qu'ils soient, et aime ce qu'il possède ; heureux celui pour qui la raison décide de la valeur de tout ce qui lui appartient. »

SÉNÈQUE, *LA VIE HEUREUSE*

Décider d'être libre en limitant ses achats. Se demander si l'on a vraiment besoin d'acheter cet objet qui nous tente, et s'il nous fait réellement plaisir ?
L'expérience de ces petits bonheurs issus du renoncement apporte une grande satisfaction.

Petits exercices de lâcher-prise

Le lâcher-prise au quotidien n'est autre qu'un astucieux moyen pour vivre autrement sa vie, en pleine conscience: s'abstenir de tout a priori et découvrir chaque chose comme si c'était la première fois ;
> décider de ne pas se prendre au sérieux lorsqu'on entreprend des choses sérieuses et savoir rire de soi ;
> découvrir un lieu familier avec un regard neuf ; se laisser surprendre par de nouveaux détails ;
> au réveil, chasser les pensées de la veille et s'ouvrir à de nouvelles sensations : la fraîcheur de l'air, le chant des oiseaux, la beauté du ciel, l'odeur du café et des tartines grillées…
> effectuer une tâche routinière comme si c'était la première fois
> changer une habitude…

Apprendre à dire "non" allège énormément !

Il est important de savoir dire "non".
C'est ainsi que nos oui prennent toute leur valeur !

Exercice du vent qui chasse les problèmes

Assis en tailleur, le dos bien droit, les mains posées sur les genoux, les yeux fermés et les muscles relâchés, prendre conscience de son corps : pieds, genoux, cuisses, bassin, dos, abdomen, mains, bras, épaules, cou, tête…

Se concentrer sur le va-et-vient du souffle, dans l'abdomen, puis dans la poitrine et le nez. On ne cherche ni à arrêter ni à contrôler ses pensées, on les laisse défiler.

À chaque expiration, imaginez votre souffle chassant vos soucis, vos colères, enfin tout ce qui vous encombre. Puis à l'inspiration, sentez que cet air se renouvelle, devient réparateur et vous régénère, comme un soleil inondant de sa lumière votre paysage intérieur.

Pratiqué ne serait-ce que quelques minutes, cet exercice de méditation aide à faire la paix avec son corps et avec son esprit. Après une séance, on aura plus d'énergie et les idées plus claires.

Bannir de son esprit les pensées négatives , en particulier au lever et au coucher

Dès qu'elles se présentent à notre réveil, ces petites phrases stériles martèlent notre esprit et ruinent notre énergie. Le soir, juste avant de rejoindre les bras de Morphée, elles assombrissent notre paysage mental, pouvant même nuire dans certains cas à notre endormissement ou à la qualité de notre sommeil.

Ces deux moments clefs — que sont notre première pensée du matin et la dernière pensée du soir au coucher — sont fondamentaux pour ancrer dans notre esprit du positif. Se dire à ce moment-là une phrase tant sincère que bienfaisante ou se représenter une image stimulante le matin (un horizon dégagé, une brise légère sur les vagues, une belle plage ensoleillée, une rivière fraîche...) et calmante le soir (un beau coucher de soleil, un lac tranquille, une forêt silencieuse...) imprègne notre esprit de pensées ou d'images qui agissent comme des semences dans notre vie quotidienne.

~ ❖ ~

« Lorsqu'un homme se livre au sommeil après avoir nourri son âme de belles pensées, lorsqu'il ne s'endort point le cœur agité de colère, il prend contact mieux que jamais avec la vérité et ses songes ne sont nullement déréglés. »

PLATON

~ ❖ ~

La règle du 90/10

INSPIRÉE DE STEPHEN R. COVEY

On ne peut rien face au retard d'un train, la pluie qui tombe ou un bouchon sur la route… qui vont perturber notre quotidien. Pour 10 % de ce qui nous arrive, le contrôle nous échappe…

Mais pour les 90 % restants, c'est-à-dire pour cette part qui correspond à la manière dont on va réagir à ce qui se passe dans notre vie, notre état intérieur est déterminant. Nos réactions nous appartiennent pleinement : non seulement, elles éclipsent les circonstances extérieures, mais elles les prédominent.

Soyons donc attentifs à ce principe lorsqu'un événement se présente dans notre journée, pour mieux nous connaître et apprécier ce qui nous arrive à sa juste valeur.

S'abstenir de critiquer allège

Les critiques ne résolvent rien et ont la mauvaise grâce de favoriser l'agressivité et notre méfiance à l'égard du monde.

Pour éviter qu'elles ne deviennent à notre insu un sport familier, chaque fois que nous avons envie d'émettre un jugement, soyons en bien conscients .Soyons également attentifs à nos sensations du moment. Nous pourrons plus facilement les transformer en un agréable sentiment de respect, de joie et de tolérance.

Quand on se déleste de ses préjugés
On avance plus léger dans la vie !

Notre esprit a besoin de candeur pour s'épanouir. Apprenons à le préserver de tout parasitage. Quand les conversations tournent en rond, se nourrissent de jugements, de faits divers ou nous tirent vers le bas, il faut apprendre à zapper, à s'en extraire ou à élever le niveau !

Une vitesse de croisière

Nombre d'entre nous rêvent de vivre à leur rythme, rêve qui devient réalité pour une minorité seulement. La fièvre du quotidien gouverne notre existence. Nous avons parfois des difficultés à y échapper. Ne pas être bousculé ou du moins aller à notre rythme, être maître de notre tempo personnel... N'est-ce pas là notre vraie richesse ?

Dans les arts martiaux chinois, on s'initie, grâce à des mouvements lents, à prendre conscience du temps, à ressentir son corps et à se détendre. De même, dans la vie courante, on a besoin de silence et de répit pour se concentrer. Quand on change de rythme, que l'on va plus vite puis moins vite, on apprend ce qu'est la vitesse. On voit quand c'est trop rapide ou trop lent, on ajuste sa vélocité à ses possibilités, aux vibrations de son corps et l'on s'efforce de maintenir le bon rythme.

Il faut du temps pour que nos idées se concrétisent. La durée est la force qui permet d'accéder à la réussite d'un projet ou d'une œuvre...

« Patience, patience
Patience dans l'azur !
Chaque atome de silence
Est la chance d'un fruit mûr ! »

PAUL VALÉRY (1871-1945), *CHARME*, PALME

On est toujours en train de
COURIRRRRRRRRRRRRRRRRR
!

Mais qu'attend-on pour
R A L E N T I R
?

Plus ça va vite
Plus on est occupé
Mieux c'est !

Plus c'est lent
Plus on est disponible
Mieux c'est !

À vous de choisir !

« La patience mène au succès, la précipitation engendre des chutes.
De mes propres yeux, j'ai vu dans le désert un homme lent dépasser un autre qui se pressait.
Le cheval rapide s'écroule, tandis que le chameau va lourdement sans s'arrêter. »

SAADI, *LE JARDIN DES ROSES*

Quand on va trop vite, on perd parfois de vue l'essentiel.
La lenteur a ses vertus, en particulier celle de nous sensibiliser aux risques de l'urgence. Il faut donc savoir parfois privilégier le temps lent au temps rapide.

Perdre du temps
n'est pas forcément
perdre son temps

Mais tarder à accomplir
ce qui nous tient à cœur
équivaut à perdre son temps

Sacrifier ce que l'on désire ardemment à ce qui nous tente dans l'immédiat nous expose à de grandes déceptions !

On ne s'attarde pas
quand on veut
arriver.
PROVERBE ARGENTIN

L'odyssée intérieure

L'exploration de notre conscience, de notre être intime et des mystères qui entourent nos actes, nos pensées, nos réactions… nous entraîne dans une aventure passionnante qui se promet d'être aussi mouvementée et singulière qu'une odyssée.

Regards sous-marins

On regarde à l'intérieur de soi et l'on s'étonne…
On s'interroge, on essaie de comprendre
ce qui se passe au tréfonds de soi.
On se confronte à d'autres réalités qui nous ébranlent
On doute de soi, de ce que l'on découvre.
Douloureusement,
Patiemment,
On apprend à se connaître
Et à s'aimer.

Questions pour bien vivre à l'intérieur de soi

« Est-ce que je suis tranquille en ce moment ? Que se passe-t-il pour moi en ce moment ? Quelles pensées me traversent l'esprit ? »

Avec ces questions, on apprend à s'intéresser à ce qui se passe à l'intérieur de soi plutôt qu'à l'extérieur. Si notre intérieur va bien, l'extérieur sera en ordre car la réalité première est à l'intérieur de soi.

« Ai-je une tension ? Y a-t-il un muscle, un organe qui me fait mal ou représente une gêne pour moi ? »

Ces interrogations permettent de diriger l'attention sur notre corps. Si l'on constate qu'il y a un dysfonctionnement, un désagrément, il est intéressant d'observer de quelle manière on lui résiste, on l'évite…

Et peu à peu, avec la pratique, notre pouvoir d'observation de nos pensées, de nos sensations physiques ainsi que la maîtrise de notre état intérieur s'aiguiseront.

D'après *Le Pouvoir du moment présent* d'Eckhart Tolle

À écrire sur mon bureau, le miroir de ma salle de bain
ou mon agenda…
« Suis-je présent à ce moment ? »
« Quelle est ma relation actuelle avec le moment présent ?

Faire les choses à sa mesure

Quand nous sommes plus grands que nos actes,
rien ne peut nous déséquilibrer.
Mais quand nous permettons que les choses soient
plus grandes que nous,
notre déséquilibre est certain !
PENSÉE INDIENNE QUECHUA

L'azur profond du ciel, le bruissement des feuilles, les pas feutrés d'un chat qui s'approche, le ronflement d'un moteur, lorsque nous y sommes pleinement attentifs, nous révèlent le merveilleux de la conscience qui nous habite.

Ouvrir grand les yeux
A l'intérieur de soi
Pour voir
Enfin
AUTOUR !

La colère, l'irritation, la tristesse, la déception... révèlent des situations affectives cachées au plus profond de notre être... On ne peut pas contrôler la montée de nos émotions mais on peut décider de ce que l'on en fait. Il ne s'agit donc pas de les refouler car elles nous offrent l'opportunité de mieux nous connaître, mais de les observer pour en comprendre la source et avant de réagir, bien respirer pour se recentrer.
Et si l'on essayait de maintenir cette sereine attitude tout au long de la journée !

Nécessaire confusion
Méli-mélo d'idées
Dans le brouillard
S'ordonnent

En toute circonstance,
Je me fie
À ma petite VOIX
VOIE
intérieure…

Douter
Est aussi nécessaire
Que douter de ses doutes
Pour avancer

Gris dehors
Or dedans
Précieux trés**or**

Pourquoi fait-on ceci ou cela ?
Pourquoi réagit-on de telle façon plutôt que d'une autre ?

Comprendre pourquoi l'on fait les choses
nous libère d'un grand poids.

Si l'on reconnaît que l'on a une vie intérieure, si on accepte l'existence d'un monde obscur sous la conscience, fait de désirs refoulés, de motivations et de sentiments, rarement logiques et qui affectent notre quotidien, si l'on s'intéresse à nos profondeurs en leur permettant de remonter à la surface, on fait alors un grand pas vers la connaissance de ses ressources les plus intimes.

« La plupart des gens portent en eux des milliers et des milliers de choses qui n'apparaissent jamais à la surface, qui dépérissent dans les profondeurs de leur être et les tourmentent. Mais c'est précisément parce qu'elles dépérissent ainsi et sont source de souffrances infinies que la conscience les rejette, qu'elles sont l'objet de suspicion et de crainte. On retrouve dans cette attitude le sens de toute morale : ce qui a été reconnu comme étant néfaste ne doit pas remonter à la conscience ! Cependant, rien n'est en soi néfaste ou utile ; tout est bon ou tout est indifférent. Les choses que chaque individu cache au fond de son âme lui sont bénéfiques, font partie de lui-même, mais n'ont pas le droit d'apparaître au grand jour. La morale prétend en effet que si elles se manifestaient, elles engendreraient un malheur. Mais cela pourrait tout aussi bien avoir pour conséquence le bonheur ! Voilà pourquoi l'homme qui se soumet à une morale s'appauvrit. »

HERMANN HESS, *L'ART DE L'OISIVETÉ*,

CALMANN-LÉVY

~ ❖ ~

Essayer d'être bon ne suffit pas pour être bon

Il s'agit de trouver en soi la bonté et de lui permettre de s'exprimer. Mais celle-ci ne peut émerger que si des changements fondamentaux se produisent dans la conscience.

~ ❖ ~

Soyons pour nous un ami toujours prêt à nous donner un coup de main bienveillant !

Trésors endormis
Se réveillent un jour
En furieuses questions

Vivre avec sa sensibilité

« Sensible… s'acharner à être sensible, infiniment sensible, infiniment réceptif. Toujours en état d'osmose. Arriver à n'avoir plus besoin de regarder pour voir. Discerner le murmure des mémoires, le murmure de l'herbe, le murmure des gonds, le murmure des morts. Il s'agit de devenir silencieux pour que le silence nous livre ses mélodies, douleur pour que les douleurs se glissent jusqu'à nous, attente pour que l'attente fasse enfin jouer ses ressorts. »

LÉON-PAUL FARGUE, *SOUS LA LAMPE*, GALLIMARD

Une grande présence à soi ou à l'événement suppose d'aller chercher la force dans sa sensibilité plutôt qu'à l'extérieur. Sans la sensibilité du cœur et de l'imagination, nous n'aurions aucune idée de notre propre existence. Seule l'intensité vécue au plus profond de soi-même donne du pittoresque à ce que l'on vit.

Correspondances

Tout est correspondance dans l'Univers, chaque élément est le maillon d'un Tout et doit son existence à celle d'un autre. Les Chinois ont observé que le rythme du jour et de la nuit, la variation des saisons, l'alternance de la chaleur et du froid, de la vie et de la mort, influençaient leur vie sur terre. Ils ont appelé cette succession harmonieuse le Ying et le Yang, et s'en sont inspiré pour trouver leur source d'équilibre dans la nature. Cette loi s'applique dans la Nature et le corps humain. À une saison correspond un animal, un viscère, un nombre, une couleur, une saveur, un point cardinal, une note de musique.

De même,
Toute parole, toute pensée a ses connexions mystérieuses dans notre corps, dans notre psychisme, dans notre entourage et dans les événements de notre existence. Toute parole, toute pensée a une CONSéQUENCE... sur ce que l'on est, sur ce que l'on vit !

Se nourrir de pensées négatives, de la certitude que rien ne se passera comme nous le souhaitons... auront hélas autant d'effets sur notre parcours que la certitude que nous réaliserons
notre rêve. Dans la CONSCIENCE de leur portée,
on avancera plus confiant.

La Nature est un temple où de vivants piliers
Laissent parfois sortir de confuses paroles :
L'homme y passe à travers des forêts de symboles
Qui l'observent avec des regards familiers.

Comme de longs échos qui de loin se confondent
Dans une ténébreuse et profond unité
Vaste comme la nuit et comme la clarté,
Les parfums, les couleurs et les sons se répondent.

Il est des parfums frais comme des chairs d'enfants,
Doux comme les hautbois, verts comme les prairies,
Et d'autres, corrompus, riches et triomphants,

Ayant l'expansion des choses infinies,
Comme l'ambre, le musc, le benjoin et l'encens,
Qui chantent les transports de l'esprit et des sens.

CHARLES BAUDELAIRE, *LES FLEURS DU MAL*, CORRESPONDANCES

Chaque jour
Mes pensées
Tissent mon futur

Mon choix consiste à décider de vivre
ou non à ma guise…

On attire ce que l'on pense
C'est aussi simple que cela

Si l'on sème la rancœur, on la récoltera
Si l'on sème la bonté, l'amour, la tolérance,
c'est cela qui poussera
Quel sera notre choix ?

« Ce qui est pensable est également possible. »

LUDWIG WITTGENSTEIN

La plupart des choses qui vont mal dans notre vie
se matérialisent dans nos plaintes.

Tu te meurs
De nos pensées amères
Pauvre Terre !

Comme une eau glacée
La parole âpre
Engourdit l'âme

Je suis responsable de mes pensées car elles ont des conséquences sur les autres.

Quand on s'irrite pour des riens, on envenime son corps et son esprit.

Personne ne voit le visage de son ange gardien. Et pourtant, l'on devine que les anges existent et que leur pouvoir est miraculeux et essentiel dans la vie !

On ne peut pas toujours bien expliquer ce qui se passe en soi, mais quelque chose à l'intérieur nous envoie un message. On l'entend et en même temps on le nie, parce que cela nous fait peur.

Il y a pourtant des signes annonciateurs d'un changement inéluctable dans notre vie, tels que changer de métier, décider de maigrir ou déménager…

Une journée sans
maux
J'entends enfin mes
mots

Une journée sans
mots
J'entends soudain mes
maux

Tout, absolument tout ce que nous pensons, donnons, disons, faisons a un effet boomerang.
Quand on en a conscience, on a envie de fabriquer des pensées affectueuses pour soi et pour tous ceux qui nous entourent.

« L'Univers répond constamment et avec obéissance
à nos pensées. Que l'on voyage rapidement ou lentement,
le chemin est préparé pour nous. »

HENRY D. THOREAU

Entraînement du jour

Réfléchir à une phrase qui correspond à l'un de nos souhaits et l'exprimer, de façon courte et positive, le matin au réveil et le soir avant de s'endormir.

Par exemple « Quoi qu'il se passe autour de moi, je vais bien. »

La patience et la constance feront leur travail jusqu'à ce que cette petite phrase se matérialise dans notre vie.

Je rêve d'écrire dans le firmament toute ma gratitude dans les couleurs de l'arc en ciel.
Mais je crois que les paroles sincères venant du cœur produisent le même effet !

Ma pensée est
une source
une création
une formation d'énergie
un présent en devenir !

Voyager en harmonie avec la Nature

Les philosophes, de l'Antiquité à nos jours, chantent la beauté de la Nature et son immense pouvoir à apaiser nos tourments. De notre aptitude à contempler la Nature naît une volupté intime qui absorbe tout autre sentiment. Dans ce recueillement, nos sens sont stimulés, nos rêves se forment, nos corps respirent et notre âme se régénère. On redevient vivant.

La Nature, objet de contemplation et de ressourcement

Le voyageur croise sur son chemin toutes sortes de paysages, des arbres majestueux, des montagnes imposantes, des aubes douces et pâles, des couchers de soleil rougissants, des océans immenses, impénétrables, des nuages protéiformes… , qui existent sans que l'homme ne soit intervenu ! Il ne peut que s'émerveiller de tels chefs-d'œuvre qui embellissent son âme et son parcours.

~ ❖ ~

La contemplation d'un paysage est à mille lieux des artifices du voyage touristique. Elle transporte le voyageur dans un état de légèreté, elle le met en contact avec le divin.

~ ❖ ~

Gracieuses les heures du soir
Venant adoucir
Une journée noire

Douce pluie…

La pluie caresse
et rafraîchit mon visage
Comme un doux massage

Douce nuit…

La nuit éclaire
Mon imaginaire
Il n'y a qu'à laisser faire…

Dans la nuit étoilée
Une lueur étrange
Comme un signe

Il existe autour de soi tout un monde
qui nous espère et on peut le rencontrer
si on lui prête attention.

Les étoiles,
Diamants dans le ciel
enchantent ma nuit
Et me rappellent que des milliers d'yeux
au même instant les contemplent

~ ❖ ~

Si l'on a la chance d'avoir un jardin, aménageons la en un îlot de paix et de beauté. Un lieu où l'on peut se retirer seul ou en compagnie.

~ ❖ ~

Aller dans la nature, la forêt par exemple, et percevoir les arbres, les oiseaux, le ciel... sans trop d'interférences mentales, sans écouteur, dans le silence.
Avoir du plaisir à marcher, ressentir les pieds sur le sol... sans distractions...
Être là seulement avec soi !

Le ronronnement du chat

Il est là, tout près de moi, étendu sur le canapé, abandonné à son bien-être. Tandis que je feuillètTe mon livre, son ronronnement me berce et progressivement m'apaise.

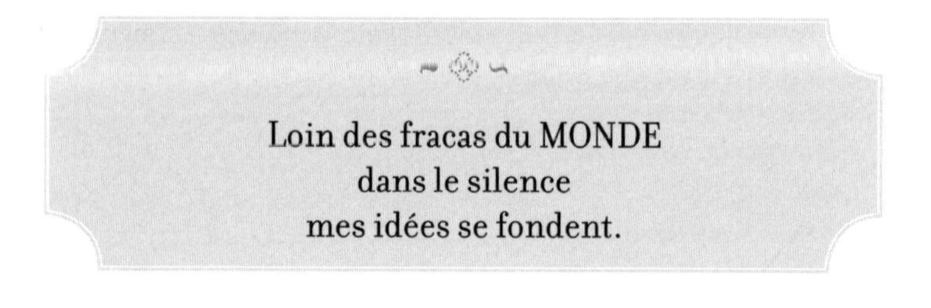

Loin des fracas du MONDE
dans le silence
mes idées se fondent.

«Chaque expérience de beauté, si brève dans le temps tout en transcendant le temps, nous restitue chaque fois la fraîcheur du matin du monde. »

FRANÇOIS CHENG, *CINQ MÉDITATIONS SUR LA BEAUTÉ*, ALBIN MICHEL.

Le stress est pour bon nombre d'entre nous le principal ennemi de la sérénité.
L'antidote le plus naturel se trouve dans la nature, immense et généreuse. C'est en gardant le contact avec elle que l'on retrouve le calme.

Marcher pieds nus sur le sable ou dans l'herbe imprégnée de la rosée du matin,
Prendre un bain de lumière au lever du jour,
Écouter religieusement le chant des oiseaux,
Détendent P R O F O N D É M E N T.

Selon *Junichirô Tanizaki, écrivain japonais,*
notre recherche du bonheur, en Occident, nous entraîne vers toujours plus de progrès, de lumière, de vitesse,
de lendemains meilleurs.

Inversement, la philosophie orientale apprend
à se contenter de ce que l'on a,
du moment présent,
de ce que la nature nous donne,
jusqu'à s'émouvoir de la beauté qui émerge de l'obscurité.

« Rien
N'est plus beau
Ni plus pur
Et en même temps plus immense
Qu'un lac sur la surface de la terre !
Eau couleur ciel
Qui n'a pas besoin de clôture. »

CITATION EXTRAITE D'UN MAGAZINE ARGENTIN

Énigme

Qui connaît chaque chemin, même les sentiers secrets des animaux ? Qui a caressé mille fois chaque toit, chaque arbre sans jamais laisser de trace ?

Le vent !

Énigme

Qui parle sans se soucier qu'on l'écoute ? Qui nous apaise par sa seule présence ? Qui transporte nos pensées depuis des millénaires ?

L'eau

Énigme

Qui nous toise du haut de ses mystères, sans jamais dire un mot ? Qui fait varier nos paysages à l'infini ? Qui nous invite à rêver à l'immensité, à le contempler sans jamais pouvoir l'attraper ?

L'air

Énigme

Qui s'étend à l'infini entre ciel et terre ? Qui nous anime constamment sans rien nous demander ? Qui pénètre en nous aussi invisible qu'indispensable ?

Le ciel

Énigme

Qui brille dans le noir profond ? Qui influence nos rythmes biologiques, inspire les âmes sensibles et illumine nos nuits ? Qui révèle nos profondeurs ?

La Terre

Énigme

Qui est à tous les hommes et cependant aux mains de quelques-uns seulement ? Qui nous comble par sa beauté et nous nourrit sans contrepartie ?

La lune

Comme un baume sur nos blessures,
Se répéter en silence un beau vers,
Chantonner une mélodie,
Lever au ciel ses yeux remplis de gratitude,
Ou se remémorer un lieu fantastique,
un fait marquant de son existence…
Illumine une journée triste
Et adoucit nos vies !

Chaleur rouge et or
Un champ de lumières
M'invite au repos

Les flocons tombent sur la neige
Pas un seul bruit
Autour de soi

Les lucioles
Dessinent des traits lumineux
Dans la nuit noire

L'harmonie

« On parle d'harmonie à propos d'une composition des volumes,
à propos des proportions dans un tableau. L'harmonie renvoie
à la beauté, à la concordance, à la correspondance, à la paix,
à l'entente, au bien-être… La nature y joue un rôle essentiel
car elle permet à l'homme de se ressourcer, de contempler,
de se reposer et de profiter agréablement d'un lieu.

Il est de tradition en Asie (surtout en Chine et au Japon)
que la nature domestiquée fasse partie intégrante de la maison.
C'est un élément essentiel qui contribue au confort,
à un véritable art de vivre au quotidien.
Dans le Japon traditionnel, les jardins ont toujours
eu une place importante au sein de l'espace domestique.
Ils favorisaient la quête spirituelle, le plaisir esthétique,
le repos et le recueillement. Leur présence était essentielle
pour l'équilibre de la maison et de ses habitants."

CLÉMENCE FICHARD, *EXTRAIT DE O_2 D'HABITAT*, MÉMOIRE DNSEP 2009

Les bourgeons chassent
La morosité
L'hiver se tasse

Le ciel enflammé
Rétrécit
Dans le froid du soir

Se libérer du connu, source d'émerveillement

La contemplation de la nature nous invite à l'extase, cet état particulier dans lequel on est transporté hors de soi et où l'on participe à l'expérience d'une communion avec une réalité autre et néanmoins essentielle. De même, cette disposition d'âme, qui nous amène à admirer des choses que nous n'aurions pas vues sans une attention particulière, à savourer des rencontres que nous aurions considérées comme banales auparavant, à nous ouvrir à l'inconnu, est source d'exultation suprême.

Se départir de tout *a priori* est une porte ouverte sur l'étonnement, sur l'émerveillement d'un nouvel état d'être.

Apprendre à « Être » avec un arbre

Quand on sort dans la nature, si l'on s'applique à être tout simplement là avec un arbre, pendant un moment, à regarder où l'on s'appuie contre son tronc, on commence alors à ressentir sa force, sa sérénité, même si le vent souffle, même s'il pleut. On est conscient, sans penser. On découvre l'essence même du monde en lui et par conséquent en nous.

Nous pouvons faire de même avec les gens au lieu de les « étiqueter » d'emblée comme nous le faisons généralement. Lorsque nous rencontrons une personne, certaines pensées et jugements nous viennent à l'esprit. Nous l'avons déjà cataloguée et ne sommes donc plus vraiment en communication avec elle, mais avec nos propres critères. Plus on se ferme à la réalité, moins l'on s'émerveille de la vie qui se déploie continuellement en soi et des rencontres que l'on fait. Laissons-nous donc surprendre et gardons notre innocence à l'égard des autres.

Comme si c'était la première fois
Percevoir les fleurs
Sans chercher à les nommer,
Sans vouloir les qualifier,
Sans penser à ce que l'on voit,
Sans les charger de nos problèmes, de nos observations ou de nos jugements.

Devenir une présence consciente
qui perçoit la beauté autour de soi
Juste ressentir l'essence et la présence des fleurs
S'émerveiller que tout soit
vie,
fraîcheur
vibration
excitation

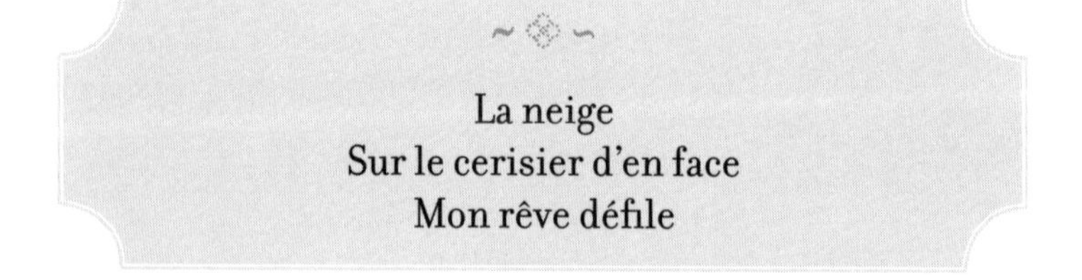

La neige
Sur le cerisier d'en face
Mon rêve défile

La vie est un chant à la beauté
Quand avec l'expérience je le découvre,
Le vent devient mon ami
L'arbre, mon maître,
L'aube, un rituel,
La nuit se pare des plus belles couleurs,
Les étoiles parlent le langage du cœur,
Et l'esprit de la terre se repose une nouvelle fois tranquille,
Je me sens vivant !

PENSÉE INDIENNE QUECHUA

Regarder le monde
Comme si c'était la première fois...
Car tout change en permanence autour de nous
Seul un regard neuf
Peut s'en apercevoir et s'en émerveiller

Comment poétiser sa journée ?
Le matin, se réveiller avec le soleil
Le soir, contempler le coucher du soleil

Dix bonnes raisons d'aimer l'automne

Le retour du chou dans l'assiette
Les cours de récréation en effervescence
Les écoliers et leurs sacs à dos dans les rues
La pluie battante sur les carreaux embués
L'odeur des champignons dans les sous-bois
Le silence du soir
Le temps des résolutions
Contempler l'ocre et le rouge des arbres
Les feuilles en tas dans les jardins
Un chocolat chaud après une bonne marche...

Dix bonnes raisons d'aimer l'hiver

Se blottir sous la couette
Le givre sur les fenêtres au petit matin
Lire devant la cheminée
Faire craquer ses pas dans la neige
Regarder les flocons qui tombent
Décorer le sapin de Noël avec ses enfants
L'aridité des champs dans le ciel glacé
Le fumet d'un pot-au-feu
Déguster une bonne soupe maison
Se coucher avec les poules…

Dix bonnes raisons d'aimer le printemps

Les fleurs en boutons
En Provence, la lavande dans les prés
Une salade craquante dans l'assiette
Les giboulées de mars
Les journées qui s'allongent
Le soleil qui réchauffe la peau
Les draps qui respirent sur les fenêtres
Sortir les cartons des vêtements légers et ranger ses vêtements d'hiver
Faire ses courses à bicyclette
S'émerveiller de la palette de verts dans les jardins
Un grand courant d'air dans la maison pour la nettoyer de fond en comble...

Dix bonnes raisons d'aimer l'été

Savourer une bonne glace
S'asseoir sur un banc à la fraîcheur du soir
Dormir à la belle étoile
S'allonger sur le sable et lézarder au soleil
Marcher les pieds dans l'eau
S'offrir une nuit blanche
La rosée du petit matin
S'attarder à une terrasse de café
Danser jusqu'à l'aube
Un déjeuner sur l'herbe...

Relire *20 000 Lieues sous les mers* de Jules Verne
Se laisser emporter par la magie de cette odyssée FANTASTIQUE, écologique et humaniste, et s'apercevoir que le réchauffement climatique ou la préservation de la faune et de la flore sont des problèmes qui ne datent pas d'aujourd'hui !

En route vers l'autre, de retour vers soi

Les gens font partie du voyage. Grâce à eux, on apprend de nouvelles choses, on élargit nos centres d'intérêt, on s'enrichit de nouvelles expériences, on s'interroge, on est stimulé… Les gens sont aussi la source de nos tourments, de nos interrogations, de nos difficultés.
Ils nous ramènent sempiternellement à notre intériorité.
Notre aventure personnelle se situe dans ce va-et-vient permanent entre les autres et notre for intérieur.
On souffre, on exulte, on grandit, on vibre tout simplement au contact de la vie.

Les rencontres

On apprend progressivement à donner aux autres l'importance qui leur revient, ni trop, ni pas assez. Plus à l'écoute de soi, on devient plus réceptif à l'autre. Une plus grande circonspection dans nos rencontres, la conscience du périmètre qui nous est nécessaire pour être ce que l'on est, le désir de partager ou de donner aux autres le meilleur de soi nous permettent, au fil des étapes, d'établir des relations saines et sincères.

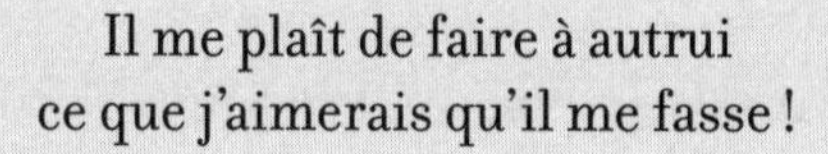

Il me plaît de faire à autrui
ce que j'aimerais qu'il me fasse !

Avant

Je donnais de l'importance à ce que les autres pensaient de moi.
Je me conformais à leurs souhaits ; ma conscience me censurait.
Malgré cela, il y avait toujours quelqu'un pour me dénigrer.

Aujourd'hui

Je les remercie de m'avoir enseigné
que la vie n'est pas un scénario !
Depuis, je vis comme je suis.

PENSÉE INDIENNE QUECHUA

Nos peurs individuelles, nos inquiétudes, nos colères, nos jalousies, nos ressentiments... Nos pensées négatives se répandent autour de nous, participant ainsi au champ d'énergie collective... Nous avons donc la responsabilité de les gérer tout au long de notre existence, afin de ne pas amplifier cette négativité émotionnelle et mentale ambiante.
Notre contribution collective se trouve aussi là !

Comme il est bon pour l'âme d'agir avec sincérité,
sans nécessité d'avoir un rôle
et de donner

sans rien attendre en échange !

Quand l'eau pénètre
Dans l'aridité de la terre...

C'est ça l'amour !

Aimer et exprimer son amour fortifient

Chaque matin au réveil, dire à celle ou celui qu'on aime :
« Comme je suis heureuse de me réveiller
avec toi et de t'aimer » !

La bonne distance

Trop près on étouffe, trop loin on se sent abandonné !
Avoir conscience de son périmètre personnel permet d'avoir la bonne distance avec son entourage. Pour cela, il faut s'écouter, respecter son périmètre de sécurité et l'espace de l'autre, afin d'être plus à l'aise dans ses relations.

Se ménager un espace personnel

Nous avons tous besoin d'un coin d'intimité, un lieu où l'on peut travailler, écrire, réfléchir ou tout simplement être tranquille.
Si l'on ne dispose pas d'une pièce à cet effet, on peut installer son refuge (une table ou un bureau) dans un coin de l'appartement.
Il est important que nos proches ne nous dérangent pas lorsqu'on y travaille ou l'on s'y détend, et qu'ils respectent ce lieu privé en notre absence.

Une relation insincère
Est un état d'isolement
Qui semble être ce qui n'est pas.
C'est tout !

Les complicités de l’amitié :
Rire à toutes les plaisanteries
Même si elles ne sont pas drôles !

Énigmes

Il peint le monde en couleurs
Il fait renaître en nous l’ardeur, la joie
Il ranime nos sens
Il attise notre sensibilité
Il nous maintient dans la fleur de l’âge
Il nous confirme la puissance des choses simples…

Quel est ce magicien aux pouvoirs magnanimes ?

L’amour

Donner sans attendre de retour
Nous mène assurément
vers l'amour et l'amitié

Il y a des personnes qui agissent pour nous comme des anges gardiens qui nous tiennent la main quand il le faut et solutionnent nos problèmes quotidiens. Les remercier ne suffira pas en comparaison de l'aide que l'on reçoit. Mais le faire sincèrement nous enrichit et illumine —peut-être — le jour de celui qui le reçoit !

Les relations
N'admettent pas de gradations
Elles sont
Ou elles ne sont pas !

Savoir mettre un terme à une mauvaise relation amoureuse ou amicale nous rend plus léger.

L'amour est à un niveau subtil
L'essence de notre instance immunologique.
Il nous immunise contre le malheur
Qui pullule n'importe où, atrophie les cœurs et infecte les âmes…
PENSÉE INDIENNE QUECHUA

~ ✤ ~

Les amitiés sincères et proches peuvent être d'une grande force quand les temps sont rudes.

~ ✤ ~

S'efforcer d'être aimable et tolérant avec tout le monde.

Ce qui nous appartient véritablement, c'est l'amour que l'on éprouve pour nos proches.

~ ❖ ~

A comme *autrui*
M comme *magnifique*
O comme *ouverture*
U comme *utopie*
R comme *réalité*

Petits exercices d'écoute d'autrui

Pour s'entraîner à écouter l'autre quand il nous parle :
1 — Tout d'abord, effectuer une bonne respiration, en prêtant une grande attention, pendant quelques secondes, au souffle qui entre et qui sort des poumons.
On élimine ainsi les pensées parasites et toutes réponses préconçues. On se met dans une disposition d'ouverture pour recevoir la parole de l'autre sans aucun préjugé, et pour entendre ce qu'il dit et non pas ce que l'on se dit à son sujet. Il se produit alors une véritable RENCONTRE.

2 — Se mettre à sa place pour comprendre son point de vue sans lui imposer le nôtre. Pour cela, il est bon de reformuler ses propos avec nos mots et lui demander si l'on est bien fidèle à ses dires.

3 — Notre intuition a sa logique que la raison ne connaît pas. Il est donc très utile de la laisser parler et surtout de l'écouter. Si on lui laisse libre cours, elle ne manquera pas de se manifester.

Apprendre
à
R E S S E N T I R les gens
et
à fréquenter ceux qui nous transmettent de bonnes vibrations.

Demander de l'aide au lieu de se plaindre

Se réfugier dans la plainte renforce un processus d'inquiétude qui nous fragilise. Se confier avec l'intention sincère de trouver une solution, demander un conseil ou mieux utiliser la puissance de son imagination apporte assurément une ouverture.

Transmettre à nos enfants les valeurs et la culture de nos parents, de nos grands-parents et arrière-grands-parents, et développer leur esprit critique sont, avec l'amour, les devoirs les plus importants que nous ayons à leur égard.

Partager avec ses enfants l'aventure d'un voyage au bout du monde est une expérience essentielle, extraordinaire, qui vaut bien des années d'éducation.

Trouver de l'inspiration et de la joie à lire la biographie d'une personne que l'on admire.

La méditation, une exploration abyssale

Il faut s'éloigner des côtes atlantiques et aller vers le large pour pénétrer dans la zone abyssale, un lieu sans fond, profond et mystérieux... La nature a caché la vérité au fond d'un abîme. De même, l'âme humaine a ses abîmes que la méditation s'ingéniera à explorer.
Aujourd'hui, tout nous invite à consacrer l'essentiel de notre énergie à travailler plus, à être toujours plus efficace, à avoir plus de confort, plus de loisirs, plus d'amis... et finalement plus d'insatisfaction, car l'on veut réussir à tout gérer en même temps. Cette course en avant nous entraîne à vivre aux dépens de ce et de ceux qui nous entourent et à concentrer nos efforts et nos espoirs sur ce « futur » qui doit nous rendre heureux. On oublie la chose la plus importante, celle de rendre visite à notre être intime, notre meilleur ami — ou notre pire ennemi si l'on ne sait pas l'apprivoiser —, celui que l'on ne peut entendre que dans le silence, l'immobilité et le recueillement.

Être attentif à soi

De plus en plus d'Occidentaux ont compris que la méditation les aidait à se sentir mieux dans leur vie et à faire cesser cette agitation stérile qui les assaille en permanence.
Dans le calme et le silence, en se concentrant durant quelques minutes sur le va-et-vient de son souffle, à l'aide d'une image forte — un lieu apaisant, un paysage merveilleux —, ces mille pensées qui nous agitent s'éloignent progressivement ; elles passent devant nos yeux, sans nous gêner.
Cette expérience apporte à ceux qui la pratiquent, un grand apaisement. Dans cette intense attention à soi, on apprend à se connaître, non pas dans la crispation qu'engendre la volonté d'y arriver, mais davantage dans le relâchement profond. On revient à l'ici et maintenant, on découvre l'unité entre notre corps et notre esprit, on se libère de nos pressions intérieures et extérieures et l'on s'ouvre progressivement à l'Amour.

Inviter l'immobilité dans sa vie

Nous permettons à l'ego d'être tout-puissant si nous ne changeons rien dans notre état de conscience ; il faut donc aller au plus profond de soi pour atteindre un endroit vierge, non conditionné... Pour cela, il faut apprendre à rester immobile, à être conscient sans résister, sans penser. C'est à cet endroit que se trouve l'éternel, présent en chacun de nous. Malgré les orages, les conflits, les chaos de notre vie, il demeure inaltérable.

Se demander tout simplement si l'on est train de respirer pour se déconnecter de nos « pensées agitées»

La plupart des « pensées » sont souvent l'expression d'un incessant bruit mental. Il nous est possible de les dompter en devenant intensément conscient de l'instant présent.

Pour cela, il suffit de se demander si l'on est en train de respirer. En portant ainsi notre attention sur le souffle, on ressent que l'on respire, on sent l'air entrer dans le corps et ressortir. En déplaçant notre attention à cet endroit-là, l'on s'éloigne de l'agitation et du tapage de la pensée et l'on se sent alors plus profondément vivant. Pendant quelques secondes, on se fond dans le moment présent.

Petites méditations quotidiennes

Chaque jour, si l'on s'entraîne à reporter toute son attention sur des activités routinières comme :

> au réveil, être conscient de son inspiration et son expiration et des effets que chaque mouvement de respiration produit en soi,

> marcher dans la rue, en se concentrant pendant quelques secondes à sa respiration,

> monter les escaliers, attentif à chaque mouvement, à chaque marche, sur sa respiration,

> ou prendre une tasse de café, en fixant son attention sur chaque détail : l'arôme du café, son goût, sa couleur, le tintement de la petite cuillère dans la tasse, le plaisir qu'il procure…,

on détourne la conscience de l'activité mentale et l'on crée ainsi un état de conscience de nos perceptions sensorielles. C'est ainsi qu'une extraordinaire sensation de présence se manifeste en soi.

Le degré de paix que l'on ressent intérieurement nous indiquera si l'on réussit à se libérer du mental.

Petit exercice pour dégager son ciel intérieur

Assis en tailleur, le dos bien droit, les mains posées sur les genoux, les yeux fermés et les muscles relâchés, prendre conscience de son corps : pieds, genoux, cuisses, bassin, dos, abdomen, mains, bras, épaules, cou, tête…

On se concentre sur le va-et-vient du souffle, dans l'abdomen, puis dans la poitrine et le nez. On ne cherche ni à arrêter ni à contrôler ses pensées, on les laisse défiler.

Visualisez alors dans votre crâne un ciel nuageux et pluvieux symbolisant vos soucis et tous les problèmes que vous aimeriez évacuer. Puis un ciel dégagé, bleu et ensoleillé, à l'image du paysage intérieur que vous souhaiteriez obtenir.
Expirez et inspirez par le nez. À l'expiration, expulsez les nuages de votre ciel intérieur. Et à l'inspiration, représentez-vous un ciel sans nuages, illuminé par un soleil puissant et bienfaiteur. Après deux ou trois respirations effectuées de cette manière, inspirez la lumière du soleil et expirez en la diffusant dans tout votre corps.

Pratiqué ne serait-ce que quelques minutes, cet exercice de méditation aide à faire la paix avec son corps et avec son esprit. Après une séance, on aura plus d'énergie et les idées plus claires.

Au lieu de se concentrer sur le confort ou les plaisirs matériels moins satisfaisants pour notre paix intérieure, s'émerveiller de la beauté du monde.

Une douche sensuelle sous la cascade

Le ciel est bleu, le soleil est au zénith. Il fait chaud. Imaginez-vous nu(e) sous une magnifique cascade, fraîche, apaisante, vivifiante, ruisselant abondamment sur tout votre corps. Cette pluie tonifiante se déverse sur le sommet de votre tête, lave chaque partie de votre corps de toute tension, de toute pensée négative, de vos doutes, de vos peurs, vous purifie de toute maladie et s'évacue par la plante des pieds. Profitez agréablement de cette sensation de légèreté que produit la cascade à l'intérieur de vous, du plaisir sensuel, de l'énergie et de la confiance qu'elle vous apporte.

L'apprentissage de jour en jour

On apprend sans cesse des autres et aux autres. On admet généralement que les jeunes acquièrent des connaissances pour grandir et que les plus mûrs leur transmettent ce qu'ils savent. Il serait néanmoins simpliste d'imaginer que l'âge est synonyme de sagesse. Si l'on veut se donner toutes les chances de grandir toute sa vie durant, pas de meilleure voie que la formation continue.

La posture d' « étudiant permanent de la vie » requiert de l'humilité, de la curiosité mais aussi l'envie de progresser dans tel ou tel domaine de son existence.

Cela nous pousse à aller de l'avant, à aller plus loin dans nos connaissances et nous insuffle de l'énergie.

À tout âge, on peut apprendre le suédois, se lancer dans un nouveau métier, découvrir un nouveau passe-temps, jouer un nouveau rôle dans une pièce de théâtre, mieux se connaître, surmonter un obstacle, s'accepter tel que l'on est… il suffit d'en concevoir le souhait et d'agir pour cela.

S'écouter, s'aimer, s'accepter

Mieux se connaître, s'écouter, s'aimer, s'accepter tel que l'on est, améliorer ses relations avec les autres… font partie de cet apprentissage permanent. Loin de nous immobiliser, ce retour sur soi nous entraîne à aller de l'avant.

Apprendre à s'aimer est le début de notre aventure personnelle.

Apprécier chaque instant comme un apprentissage est une délicieuse invitation à devenir meilleur.

Écouter chaque jour notre être intérieur, ne serait-ce que quelques minutes, nous recentre sur nos besoins essentiels, nos désirs, nos priorités. En revenant à notre corporalité, à la conscience de notre respiration, de nos mouvements, on travaille à l'équilibre de notre corps et de notre esprit.

~ ◈ ~

Le voyage élargit l'esprit et élève l'âme.

~ ◈ ~

Même face aux « barbares », il importe de faire les choses du mieux que l'on peut !

~ ◈ ~

Quand nous décidons d'aller à la rencontre de nos désirs, bien avant qu'ils ne se manifestent, germe en nous une profonde sensation de bien-être, car le chemin qui nous y mène nous rend autant, sinon plus heureux, que leur accomplissement.

~ ◈ ~

HIER,
silence désespérant, discussions sans issue,
problèmes sans solutions
AUJOURD'HUI,
sérénité, entente,
rires et légèreté…

~ ❖ ~

La pluie nous dérange quand elle met en péril une récolte ou quand on exerce une activité irréalisable par temps pluvieux. Mais, elle devient source d'enchantement lorsque, bien emmitouflés dans un imperméable, on se promène sur un chemin côtier, émus par la beauté et l'impétuosité d'un paysage en larmes. De même, la pluie nourrit la terre, rafraîchit la nature et nous fait apprécier le retour du soleil !

Les variations climatiques mettent en lumière nos intempéries personnelles qui ont, elles aussi, leurs raisons et leur charme.
Un problème professionnel peut nous amener à changer de voie, un chagrin d'amour à nous transformer, une trahison à devenir circonspect.

~ ❖ ~

Les problèmes rencontrés sur notre route nous donnent des leçons de vie. Voyons-les comme des enseignements.

~ ❖ ~

Quand on se sent différent ou exclu, rappelons-nous qu'il y a toujours quelque part un lieu qui nous appartient ou une culture qui nous correspond .

Désarçonner le découragement

Nous sommes notre premier obstacle et nous l'oublions trop souvent ! Dommage de s'arrêter à la première difficulté. Franchir nos barrières intérieures est un apprentissage de tous les jours.

Au lieu de lui résister, rendons-nous à la vie !
Celui qui accepte ce qui est et s'emploie à faire ce qu'il peut incarne les utopies.
L'impossible se met alors à sa disposition.

PENSÉE INDIENNE QUECHUA

Dire ce que l'on pense
Penser ce que l'on dit
Cela va sans dire

Légèreté et gravité

« ... la vie humaine n'a lieu qu'une seule fois et nous ne pourrons jamais vérifier quelle était la bonne et quelle était la mauvaise décision, parce que, dans toute situation, nous ne pouvons décider qu'une seule fois. Il ne nous est pas donné une deuxième, une troisième, une quatrième vie pour que nous puissions comparer différentes décisions. »

MILAN KUNDERA, *L'INSOUTENABLE LÉGÈRETÉ DE L'ÊTRE*, GALLIMARD

S'offrir aujourd'hui le luxe de ne rien faire, et en jouir pleinement. La paresse, un ferment extraordinaire pour l'esprit.

Le désir de bien faire peut être une interférence. Il convient, avant tout, d'aimer ce que l'on fait et de profiter de tout le cheminement. Le but n'existe pas, le chemin et le but se confondent, il ne sert donc à rien de courir de toutes parts, sinon de faire chaque pas en pleine conscience.

Comme des gouttes d'eau sur une laque

Laissons glisser les critiques sans les prendre à notre compte ou permettre qu'elles nous affectent. Réagir de façon appropriée nous assure une bonne journée !

Découvrir le message caché derrière les mots,
N'est pas le propre d'un sage
mais seulement d'un amoureux de la vie

Se demander régulièrement si la vie que l'on mène correspond à notre désir profond, et, dans tous les domaines, s'assurer que l'on se sent en accord avec ce que l'on fait ou ce que l'on vit .

Porter du rouge pour avancer à grand pas
Du violet pour se replier sur soi
Du noir pour paraître
Du gris pour disparaître
Du bleu pour se relaxer
Du vert pour respirer !

Contempler une œuvre d'art, une forme de connaissance supérieure

D'après Arthur Schopenhauer, philosophe allemand (1788-1860), l'art est la quintessence du monde, un contact direct avec la réalité du monde. Il nous donne accès aux réalités sensibles plus profondes que ce qui nous apparaît phénoménalement.
L'art est une expérience, une forme de connaissance supérieure. Quand un homme admire une œuvre d'art, c'est la réalité qui se regarde elle-même. Le monde est animé vers quelque chose qui tend vers la lumière, c'est-à-dire la connaissance.

On écoute un concerto sublime ou l'on s'émerveille devant un tableau ou devant les fresques de la chapelle Sixtine, et l'on se sent soudain submergé par des émotions si fortes qu'elles nous transportent dans un état second proche de l'extase.

Ce ressenti fait resurgir notre sensibilité profonde et notre être le plus intime – pour ainsi dire originel – apparaît !

Avez-vous déjà vécu cette expérience extraordinaire ?

Agir

On apprend à reconnaître le positif dont on dispose pour affirmer ce que l'on est, où l'on est et pour poser des actes constructifs dans sa vie. Faire suivre sa pensée d'un acte, c'est ce qui nous permet de nous sentir vivant, plus léger. Par l'action, on se libère d'une intention, d'un rêve ou d'une décision à prendre. Pas à pas, la mise en œuvre de nos pensées nous mène à la connaissance et à la sagesse.

Il nous est à tous arrivé un jour de nous mobiliser pleinement sur un projet et d'y consacrer plusieurs semaines, voire des mois d'efforts, sans finalement pouvoir atteindre notre but ;« Pas de chance », se dit-on ! Et l'on a même regretté d'avoir dépensé tant d'énergie pour rien ! Puis, quelques semaines, quelques mois ou quelques années plus tard, on réalise que ces efforts n'ont pas été vains, car ils servent aujourd'hui un autre projet ou nous permettent d'accomplir autrement ce rêve qui vous tenait à cœur !

« Que de choses il faut ignorer pour " agir " ! »

PAUL VALÉRY, *TEL QUEL*

La satisfaction d'avoir fait ce que l'on doit faire, d'avoir bien travaillé ou simplement rempli l'objectif que l'on s'est fixé pour la journée, suffit à notre contentement.

Vouloir se réveiller ne suffit pas, il faut se réveiller !
Quand le moment d'agir arrive, il faut savoir se mettre en selle et prendre son élan, même si nos actes dérangent ceux qui dorment à côté de nous.

Un grand voyage commence toujours par un premier pas.

Même face aux « barbares », il importe de faire
les choses du mieux que l'on peut !

« À partir de demain, je m'efforcerai d'avoir une vie plus saine: je commence mon régime, je me mets sérieusement au travail… »

Et si l'on s'y mettait sur le champ ?

Faire ce que l'on aime
ou
Aimer ce que l'on fait

Quel dilemme !

Accomplir chaque jour un geste rien que pour soi aussi minime soit-il !

Faire un détour par une galerie d'art, s'asseoir à une terrasse, écrire une phrase qui nous plaît, regarder le ciel, faire une sieste au soleil, marcher en silence…
Toutes ces attentions rendent notre vie quotidienne plus aérienne !

~ ❀ ~

Progresser chaque jour dans un domaine par une action, la plus petite soit-elle, rend heureux !

« Il produit sans s'approprier, il agit sans rien attendre.
Son œuvre accomplie, il ne s'y attache pas, son œuvre restera. »

LAO TSEU

Rappelons-nous qu'aucun effort n'est inutile et que la moindre hardiesse produit son effet.

Ne pas remettre au lendemain ce que l'on peut faire
le jour même !
Remettre aux lendemains ce que l'on peut ne jamais faire !
À vous de décider !

~ ❖ ~

Inutile de se focaliser sur ce qui reste encore à faire, si l'on ne sait pas apprécier ce que l'on a déjà accompli.

~ ❖ ~

« Si l'on n'a pas appris une seule chose dans la journée,
on a perdu sa journée.
Si l'on n'a pas ri une seule fois dans la journée,
on a perdu sa journée ! »

VIEUX DICTON

~ ❖ ~

Rayer de son vocabulaire « Il faut que... » et agir!

Auriez-vous envie d'agir, et que voudriez-vous faire, si vous saviez que vous ne pouvez pas échouer ?

FAINÉANT OU SENSÉ ?

On aurait volontiers travaillé, si cela n'avait pas été une perte de temps !

La nuit porte conseil
Celui de dormir…

Le temps porte conseil
Celui de ne rien faire !

Ici et à présent

L'époque actuelle, dominée par l'accélération des technologies, nous assujettit à ce sentiment d'urgence, qui a complètement transformé notre rapport au temps. Et pourtant, les Sages – d'hier et d'aujourd'hui – répètent à l'envi que l'instant est un moment d'exception – ou plus précisément notre moment d'exception – puisque nous ne le revivrons pas une deuxième fois.

Il est bon de se le rappeler chaque jour, car notre présent est notre seule réalité et l'ici notre seul point d'appui.

Un présent à aimer

À l'intérieur de soi, on apprend à sentir, à ressentir, à savourer une sensation, qu'elle soit agréable ou non, à reconnaître un sentiment, à entendre sa petite voix intérieure, à écouter son désir profond, à donner de la densité à chaque moment vécu. On découvre ce que l'on est tout simplement.

« Ouvrez un guide de voyage : vous y trouverez d'ordinaire un petit lexique, mais ce lexique portera bizarrement sur des choses ennuyeuses et inutiles : la douane, la poste, l'hôtel, le coiffeur, le médecin, les prix. Cependant, qu'est-ce que voyager ? Rencontrer. Le seul lexique important est celui du rendez-vous. »

ROLAND BARTHES, *L'EMPIRE DES SIGNES*, FLAMMARION

L'énigme de Janus[1]...
Qu'est-ce qu'on ne pourra jamais ouvrir
Quelle est la porte que l'on ne pourra jamais fermer ?

« Le passé est une porte fermée
Le futur un mystère
Le présent un cadeau

MYRTA YAGNAM, THÉRAPEUTE

1 Janus, le plus ancien des dieux de Rome, a deux visages. Il incarne les transitions et les passages, du passé à l'avenir, d'une situation à une autre, d'un point de vue à un autre. On lui consacre le premier mois de l'année.

« Ici et à présent »
un refuge accueillant,
toujours à notre portée gratuitement
où l'on peut Etre
et se remettre du reste.

Une seule journée par jour : autant ne pas la gâcher !

On entend souvent dire : "Si j'avais ceci, si j'avais cela, je serais heureux ", et l'on prend l'habitude de croire que le bonheur réside dans le futur et ne vit qu'en conditions exceptionnelles. Le bonheur habite le présent, et le plus quotidien des présents. Il faut dire : " J'ai ceci, j'ai cela, je suis heureux ". Et même dire : " Malgré ceci et malgré cela, je suis heureux. "

JEAN GIONO, *LA CHASSE AU BONHEUR*

En été
J'aime le matin
Dès qu'il se lève

~ ❖ ~

Se réjouir au réveil de l'inattendu que chaque journée nous réserve !

~ ❖ ~

S'accorder du temps chaque jour pour le jeu, l'humour, le superflu et privilégier la compagnie de gens qui nous sont sympathiques .

~ ❖ ~

Que penser du rire ?
Est-ce le signe de l'insouciance ?
Un pied de nez à la mort ?
Un acte de courage pour persévérer malgré tout ?
Une manière de supporter l'incertitude face aux grandes questions existentielles ?
Un lien de connivence où l'on affirme à l'autreque l'on est sur la même longueur d'onde, et que l'on n'est pas seul ?

Se fixer chaque jour l'objectif de vivre dans la sérénité.

Rappelle-toi...
Chaque jour est
Une version unique
De l'existence

Étonnant non ?
Si le passé est passé, comment un fait qui n'existe plus peut-il nous faire souffrir ?

Tout faire
pour que notre vraie vie
soit celle que l'on mène
et celle que l'on aime !

~ ◈ ~

« Variations sur Descartes
Parfois, je pense ; et parfois, je suis. »

PAUL VALÉRY, *TEL QUEL*

~ ◈ ~

Un effort, même s'il ne sert pas l'objectif visé, n'est jamais perdu.

~ ◈ ~

Tyrannie de l'instant d'après
On se demande souvent comment lui résister ?

On a toutes les chances de se libérer de l'emprise
de cet envahisseur
Si l'on est davantage avec soi
À l'écoute de nos sens
Et de notre for intérieur

Être heureux n'est pas un objectif mais une façon de voyager

Une présence à soi dans tout ce que l'on vit nous rend plus serein. Au lieu de capitaliser sur les événements hypothétiques qui arriveront un jour, cette conscience nous invite à vivre chaque moment de la vie du mieux que l'on peut, et à savourer les petites joies qui se présentent à nous. Et ce, malgré les difficultés, les souffrances, les épreuves qui ne manquent pas de se manifester sur notre route. Le but que l'on s'est fixé pour le voyage qu'est la vie, c'est-à-dire nos projets, nos désirs, nos rêves, bien plus qu'une récompense, devient un support qui sous-tend nos actions quotidiennes.

~ ~

« Le bonheur est en tout, il faut savoir l'extraire. »
CONFUCIUS

Le bonheur n'est ni abstrait ni inatteignable : il est à la portée de tous à la condition d'y être attentif. Il est là devant nos yeux, à portée de main. C'est une question de regard, d'ouverture sur soi et sur le monde qui nous entoure. Il suffit de s'entraîner à ressentir et à voir tous ces joyaux qui brillent en soi et autour de soi.
Le bonheur est avant tout un état d'esprit,une aptitude à décrypter tous ces petits bonheurs latents dans chacune de nos journée une façon de vivre en décidant de voir la vie du bon côté, malgré tout !

Les petites choses avant tout !

Ce sont elles qui enchantent notre vie quotidienne et notre bonheur dépend de l'attention qu'on leur porte.

> Se réjouir du sourire d'un passant
> S'extasier devant la beauté des nuages qui, poussés par le vent, changent de forme constamment
> Déguster un gâteau préparé avec amour
> Rire avec son enfant
> Cueillir des champignons
> Revêtir une tenue confortable en rentrant chez soi, après une journée de travail…

Il y a les *petits bonheurs* qu'il suffit de cueillir

On les côtoie chaque jour : une parole aimable, un sourire, une fleur, un paysage, un geste tendre… ; pour ceux-là, il faut prendre le temps de regarder autour de soi et ne pas consommer la vie à toute allure, dans le seul but d'atteindre ses objectifs. La présence à ce que l'on vit — comme un « arrêt sur image » — nous apprend à porter un regard neuf sur ce qui nous entoure.

Il y a les *petits bonheurs* qui demandent un effort

Un entraînement quotidien de nos sens, de notre cœur, de notre corps, de nos émotions et de notre psychisme s'impose pour en profiter. Faire des exercices physiques réguliers, donner de son temps aux autres, entraîner sa mémoire ou s'astreindre à des horaires réguliers pour mener à bien un projet… précèdent nécessairement l'accomplissement de ce qui nous tient à cœur. Les bons moments s'obtiennent à coups de petites victoires sur soi, si caractéristiques de notre avancée progressive dans la vie.

Sourire relève-t-il
De la politesse ?
De la bonne humeur ?
D'une façon de voir les choses ?
OU
Du pouvoir phénoménal
Dont on dispose
pour transformer chaque situation ?

« Vis cette journée comme si c'était la dernière,
Et fais des projets comme si tu avais devant toi l'éternité ! »
PROVERBE CHINOIS

~ ❖ ~

Déjouer l'attente, vivre chaque jour comme il vient, sans craindre le lendemain.

~ ❖ ~

J'en ai assez
d'avoir le souci
De plaire !

Aujourd'hui
Je me plais
À être
Ce que je suis

~ ❖ ~

Le présent se fait
Et se défait
En minutes aériennes

Charade

Mon premier est informé.
Mon deuxième est une note de la gamme d'ut.
Mon troisième caractérise un lieu d'intimité.
Mon quatrième est la boisson préférée des Japonais.
Mon tout caractérise un état de paix intérieur.e

Sérénité

« Tout ce que nous sommes incapables d'accepter, d'aimer, de savourer avec reconnaissance devient poison. À l'inverse, tout ce que nous savons chérir, tout ce qui nous insuffle de l'énergie représente une source de vie et un trésor ».

HERMANN HESSE, *L'ART DE L'OISIVETÉ*, LE LIVRE DE POCHE

Accepter les épreuves et trouver
l'énergie pour aimer ce que l'on vit,
N'est-ce pas la voie de l'espérance,
l'oasis de notre errance…

Souvent, la négativité entraîne l'agressivité. Il faut donc apprendre à faire la paix avec le moment présent et à se détendre profondément.
Cela nous aide à éloigner notre résistance et à devenir réceptif à cette force qui est en nous, favorisant ainsi notre acceptation de la vie. Un problème, une douleur, lorsque nous les acceptons, n'engendrent pas de résistance : ils portent en eux les outils de notre transformation.
La détente par rapport à ce qui est — quand ça vient de l'acceptation — engendre une énergie totalement différente. L'action se remplit du pouvoir même de la vie.

À quoi bon comparer son bonheur à celui d'autrui ?
Notre existence est unique, notre bonheur inimitable

L'anxiété est souvent le propre des gens qui vivent exclusivement dans le futur et la rancœur, l'apanage de ceux qui se complaisent dans le passé.
Certes, les projets donnent une direction à notre vie quotidienne, et le passé nous sert d'appui, mais c'est dans le présent que chaque journée vaut la peine d'être vécue.

S'entraîner à devenir meilleur chaque jour, un exercice récompensant

Avoir le sentiment de progresser sur des aspects de soi aussi infimes soient-ils contribue à notre bien-être.

S'asseoir au bord d'un lac plonger son regard dans l'eau verte et se laisser porter par l'immensité.

Vers la sérénité

Plus qu'une destination, la sérénité est une aptitude à vivre chaque journée en harmonie avec soi et avec son entourage, et ce, malgré nos déceptions, nos malheurs et nos difficultés.
On accepte le voyage tel qu'il se présente et l'on essaie de le faire du mieux que l'on peut. Comme un bouclier, la tranquillité intérieure nous protège de l'agitation ambiante et nous aide à prendre du recul sur les choses. En décidant d'être en paix avec tout ce qui nous pèse, on avancera mieux connecté à ses rêves.

Le voyageur-philosophe

Au cours de son périple, le voyageur découvre le monde et la nature humaine. Tout autour de lui est enseignement. L'observation de l'Univers, des hommes, des phénomènes, les sciences, l'art, l'amour, ses problèmes, les obstacles rencontrés, la souffrance, la joie… Réfléchir, chercher la vérité et cultiver la sagesse, tout cela concourt à lui donner une vision élargie du monde et de l'homme.

Mesurer sa peine à celle du Monde

La terre,
Un point dans l'Univers
Même pas visible à l'échelle de planètes
comme Arthur et Pollux.
Dans ce point,
Nous sommes tous là,
Nos guerres, nos problèmes,
Notre grandeur, notre misère,
Notre art, notre technologie,
Nos religions, nos races, nos civilisations,
Nos accomplissements, nos échecs…
milliards d'âmes en constante ébullition !
Cela donne à penser, non ?
Lorsqu'on se sent
Désemparé, stressé,
Démuni devant tel problème ou décision à prendre !
Se rappeler de cette image
Nous aidera à relativiser
À réaliser notre petitesse dans l'Univers,
Du peu d'importance de nos problèmes
quand on les voit à cette échelle !

Garder son cap

Les revers de fortune, les catastrophes climatiques, les guerres, la maladie, la vieillesse, nos tempêtes, nos pulsions, nos passions dévorantes, nos mauvaises décisions...
menacent notre existence forcément limitée.
Face à cela, apprenons à aimer ce qui nous advient.

Bruits de bouche
Empêchent
Le Dire

Si l'on a
Des réponses à tout
Il vaut mieux se taire
Mais...
Si l'on a des doutes
Mieux vaut en parler !

La simplicité est la porte qui laisse les imbéciles dehors.

« Les paroles sincères
Ne sont pas toujours agréables,
Les paroles agréables
Ne sont pas toujours vraies. »
LAO-TSEU, *TAO-TÖ-KING*

Lire le Tao Tö King
le livre *De la voie* et *De la vertu*
Et se laisser porter par son mystère.
Le sublime, le merveilleux
Qui en émanent
même si ses enseignements nous apparaissent parfois impénétrables.

« Celui qui suit le Tao
Peut parcourir le monde
En toute quiétude.

Il trouvera partout
Paix,
Équilibre,
Sécurité.

Il s'avance,
Impassible,
Dans la sérénité.

Musique et bonne table
Attirent le passant.

Mais la bouche qui parle du Tao
Ne le retient pas.

Car ce qu'elle dit est sans saveur :
On le regarde
Et on ne le voit pas.
On l'écoute,
Et on ne l'entend pas.
Pourtant,
Celui qui puise dans le Tao
A puisé l'inépuisable. »

LAO-TSEU, *TAO-TÖ-KING*, TRENTE CINQ

J'aime croire en ma bonne étoile !

Mes pensées et mes actions positives forgent ma vie et vont ainsi produire la richesse et la joie.
La chance se mettra plus facilement de mon côté.

Une attitude de curiosité et d'apprentissage sied à chaque journée ,car même les choses les plus banales peuvent être abordées philosophiquement.

Les fausses promesses, les faux présents et les faux-semblants prolifèrent. Même si l'on n'en a pas toujours conscience, il est bon de se rappeler que les choses justes, vraies et sincères existent.

Ce qui nous apparaît comme une épreuve injuste est souvent une chance à venir !

Si l'on songe avec amertume aux années qui défilent, se préoccuper d'une seule chose : que la sagesse vienne avec !

« Nous tissons notre destin, nous le tirons de nous comme l'araignée sa toile »

FRANÇOIS MAURIAC

Pourquoi s'inquiéter de ce que nous serons ou avons été si nous ne sommes pas maintenant ?

Vivre une vie belle, indépendante, dans l'amour et la **lumière.**

« Il faut habiter poétiquement la terre. »

HÖLDERLIN

Noter sur son carnet une phrase que l'on aime, une parole qui nous émeut, une pensée, un court passage de livre… puis se retirer de temps en temps dans ces petits coins de vie.

~ ◈ ~

Pourquoi se noyer dans un verre d'eau ? Jetons l'eau et le verre par-dessus l'épaule !

~ ◈ ~

Les hauts
Succèdent aux bas
Et vice et versa.

Loin d'être inquiétantes,
Ces oscillations nous montrent
Que l'on est bien vivant !

~ ◈ ~

Tout change. Rien n'est constant. Nos résistances ou nos peines ne sont pas éternelles. Savourons dans chaque journée le plus petit moment de joie ou de plaisir, et rappelons-nous qu'aucune situation difficile n'est définitive !

IL Y A UN TEMPS POUR CHAQUE CHOSE

« Il y a un temps pour tout, et un moment, sous le ciel, pour faire chaque chose. Il y a un temps pour naître et un pour mourir, un temps pour semer et un temps pour récolter. Un temps pour donner la mort et un autre pour guérir, un temps pour détruire et un temps pour construire. Un temps pour pleurer et un autre pour rire… »

LA BIBLE, *ECCLÉSIASTES*, 3, 1-18

L'argent
Ne peut pas acheter
l'océan

le pouvoir
ne brillera jamais
comme les étoiles

la science
N'explique pas
tous les mystères

Prendre son temps et réfléchir
À ce que l'on veut
Ne pas lésiner sur ses désirs
Ne pas douter de ses rêves
Voilà à quoi devrait s'en tenir notre quête !

Petites phrases à méditer :

« La sagesse vient avec les hivers ! »

OSCAR WILDE, *UNE TRAGÉDIE FLORENTINE*

« La vieillesse vient trop vite et la sagesse trop tard »

TITRE DU LIVRE DU DR GORDON LIVINGSTON, MARABOUT

Rien n'est définitif

L'Univers est immense et inépuisable et nos possibilités pour changer sont infinies. Le plus souvent, on hésite à changer parce que l'on pense que, si l'on se trompe, on devra supporter pour toujours ses erreurs.

Mais la vie se renouvelle constamment, avec de nouveaux problèmes mais aussi de nouvelles solutions. Si l'on se trompe en changeant quelque chose, on pourra réparer son erreur en changeant une nouvelle fois.

L'audace est parfois
Plus sage
Que la prudence

Pourquoi se décourager ?
La générosité et l'optimisme sont bien réels. Chaque jour peut être une victoire sur la peur et l'impuissance.

Être heureux commence par décider de l'être.

« La crise est un risque
mais aussi une chance ».
PROVERBE CHINOIS

La pluie torrentielle
Lave
Mon ciel…
… Le soleil
Luit
Après la pluie

Qui mieux que le rire

Permet de sentir
La vie
En soi
De chasser
les soucis
hors de soi
D'attirer
les autres
à soi

?

Nouveaux chemins

Au fil de nos itinéraires, les pensées que nous semons nous transforment et agissent comme des petites graines, tant et si bien que l'on peut voir, à chaque nouvelle aube, les premières fleurs surgir, les petites pousses sortir de terre, de nouvelles fleurs donner leurs fruits et de nouvelles voies s'ouvrir à nous !

Découvrir une nouvelle discipline et, grâce à cela, partir dans une nouvelle direction.

On ne sait jamais combien de nouvelles opportunités chaque journée nous réserve.

L'acceptation des défauts des autres
nous ouvre de nouvelles voies

Relisons les contes de notre enfance....

La merveilleuse histoire de la lampe d'Aladin nous raconte qu'un génie attend que l'on exprime ses désirs pour pouvoir les accomplir, et nous souffle que tout est possible.
Les rêves que nous fabriquons dans nos premières années sont déterminants pour la vie.
Sachons les garder présents à notre esprit et les écouter afin de vivre en accord avec nos aspirations fondamentales.

Dessiner sa carte du trésor

On peut apprendre à dessiner une carte du trésor pour développer son imaginaire. Mais c'est aussi une amusante façon de faire le point sur sa vie, de mettre en scène et d'activer ses rêves : ses aspirations, l'axe de son existence, ce que l'on veut vivre avant de mourir.
Pour réaliser votre carte du trésor, munissez-vous d'une grande feuille de dessin, de crayons de couleur et de magazines. Commencez par découper les images qui correspondent à vos rêves et classez-les par domaine : sentimental, familial, professionnel, vos valeurs, vos hobbies, vos désirs d'enfant. Il importe d'accorder de l'importance au choix des photos, des illustrations et des couleurs. Collez-les sur une feuille de papier. Puis complétez ce collage par des dessins, des phrases ou des mots qui caractérisent votre idéal dans chaque domaine, en prenant soin de terminer votre allégorie par une étoile.
Outre le fait qu'une carte du trésor est un élément de stimulation et de ressourcement incroyable, elle est aussi un élément d'évolution, car l'on peut à tout moment la modifier ou l'enrichir.

Se laisser porter par chaque journée qui arrive avec sa dose d'inconnu !

Libérons-nous de la routine aussi souvent que nous le pouvons et prenons un nouveau parcours, même si c'est pour un jour !
La vie devient plus excitante quand on découvre de nouveaux lieux et de nouvelles personnes.

Nouveaux horizons

Toute nouvelle expérience nous fait progresser et reste pour longtemps ancrée dans nos souvenirs. De nouvelles émotions, une énergie et des inquiétudes insoupçonnées surgissent alors, nous entraînant vers de nouveaux horizons, des chemins inconnus ou de lointains paysages, qu'ils soient réels ou le fruit de notre imagination…

« La gratitude est montée au ciel et a emporté l'échelle avec elle ! ».

ANTIQUE REFRAIN

Et pourtant, je crois qu'elle a permis de découvrir le chemin secret pour monter jusque là !

Ce qui nous semble difficile devient possible grâce
au courage et à la détermination,
Ingrédients nécessaires à tout changement
Parce qu'ils nous amènent à
Accomplir autrement notre existence.

Nos châteaux

Le monde appartient à ceux qui construisent leur vie, jour après jour, en fonction de leurs rêves.
Ceux qui se contentent d'imaginer leurs châteaux ne peuvent pas vivre dedans !
Alors, quand commencez-vous à construire le vôtre ?

Une charade à méditer

Mon premier est un langage séduisant.
Mon deuxième est mon meilleur ami et mon pire ennemi.
Mon troisième est une forme d'un verbe qui trompe.
Mon tout est la seule chose qui ne change pas.

Changement

On a besoin d'expérimenter de nouvelles sensations et de « vivre des aventures » pour réaliser quelque chose qui porte notre empreinte personnelle et qui révèle notre particularité.

Aussi essentielle qu'indispensable, la rêverie alimente notre esprit et nous entraîne au-delà de nos horizons quotidiens. Il se produit alors un fait dépassant toutes nos espérances : notre imaginaire nous extrait de la routine et nous ouvre de nouvelles perspectives.

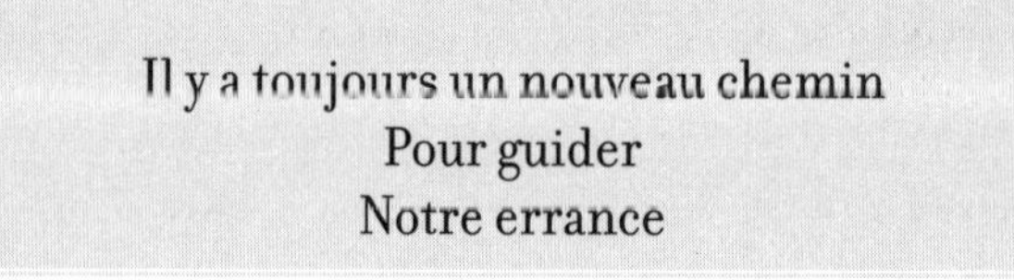

Choisir sa voie

On s'essouffle parfois à suivre des directions opposées.
Il est temps de choisir « son chemin ».
Débarrassé d'un poids, on marche plus léger

N'oublions pas que nous vivons trop souvent en fonction d'un dessein fabriqué par les autres et qui ne nous concerne pas !

Sempiternellement,
Comme des instants. inventés,
Je crée mon futur.

Se lancer dans une aventure qui correspond à une passion, concrétiser une belle chose, au moins une fois dans sa vie, REND heureux !

Changeons avant que l'on ne soit contraint de le faire !

Aussi vital que boire, manger ou dormir, le changement fait partie de notre paysage quotidien. Si on lui résiste, il se charge continuellement de nous aiguillonner, de nous surprendre
ou de nous soumettre.

Tout peut arriver

L'impermanence est notre seule certitude dans les temps de plus en plus troublés que nous traversons. On doit s'adapter constamment à une réalité où la normalité n'est qu'une illusion, parfois fort agréable, mais néanmoins tangible. Si l'on admet qu'il n'existe rien de normal et que tout peut arriver et arrivera certainement, on cesse alors d'avoir peur et de se battre contre l'inéluctable et l'on s'y prépare avec plus de force et de joie.

Alors restons confiants dans ce qui adviendra !

Sortir de ses frontières

L'activité que nous avons choisie ne reflète évidemment pas l'étendue des talents dont nous disposons. Nous nous limitons trop souvent à ce que nous croyons savoir faire et au rôle dans lequel les autres nous enferment.

Lançons-nous dans les voies qui nous attirent sans craindre de faire des erreurs et libérons-nous de l'avis d'autrui.

S'égarer, une aubaine

Le voyage ressemble rarement à ce que l'on imagine. Il arrive que l'on se perde en chemin, malgré les précautions prises : repères dans le paysage, cartes, boussoles et autres instruments de mesure… Après maints interrogations et mouvements d'humeur, on finit, en général, par retrouver son chemin.

Mais il arrive que la colère cède à la joie de découvrir un lieu charmant que l'on n'aurait jamais découvert sans cela, de vivre une aventure formidable ou – pourquoi pas – de dénicher la maison de ses rêves !

Se perdre, c'est l'opportunité de faire l'expérience de l'inattendu et de dépister de nouvelles voies pour soi.

« J'ai mis mes pas dans les mots que me soufflait le ciel, celui qui abrite mes amours d'écrivain. »

FRÉDÉRIQUE DEGHELT, *LA GRAND-MÈRE DE JADE*

Créer, un acte majeur pour soi

Peut-être songez-vous parfois à votre potentiel créatif,
Tout en doutant de votre créativité artistique
Sachez que l'art n'est ni juste, ni faux !
Il s'agit seulement D'INVENTER votre propre règle.

On peut oser sa création personnelle,
en cuisinant avec de nouveaux ingrédients,
En se lançant dans la broderie,
En dessinant des formes abstraites
Ou en peignant
Avec toute l'excentricité souhaitée…

« Quand le train entre en gare,
le voyage n'en est pas pour autant fini ! »

J-B. PONTALIS, PSYCHANALYSTE,
CITATION LUE DANS *LE MONDE* DU 2 DÉCEMBRE 1994

Un sentiment à reconsidérer

Je termine ce livre en évoquant la **gentillesse,**
valeur désuète presque démodée, qui nous inspire
l'indifférence
et que l'on a tendance aujourd'hui à bouder.

Je revendique cette vertu comme essentielle
dans les temps actuels.
La bienveillance,
la générosité,
l'amabilité,
la bonté,
l'indulgence,
l'attention à l'autre,
la prévenance,
la solidarité
(tous synonymes de gentillesse)

jouent un rôle prépondérant pour créer des liens
et maintenir
des relations tout simplement HUMAINES.

Qu'en dites-vous ?

Épilogue

On ne saurait parler de légèreté sans parler d'humour – présent tout au long de ce livre. Bien voyager, c'est bien sûr prendre la vie avec sérieux, car la vie est respectable et les faux pas peuvent entraîner de fâcheuses conséquences sur notre itinéraire... Mais l'on s'efforcera, avant toutes choses, de ne pas se prendre au sérieux.

L'humour, le rire, le sourire – auxiliaires indispensables des heures graves ou des relations difficiles – nous aident à faire des pirouettes quand il le faut, à passer en souplesse les obstacles qui barrent notre chemin. À l'instar, un poème, une image, un texte magnifique, un paysage de rêve, un coucher de soleil nous offrent la même liberté.

Ils absorbent le plomb de nos chaussures,
allégeant ainsi nos pas.
Nos pieds se déplacent alors sans peine
dans la rosée du matin,
Notre regard peut se détacher du sol
et se mouvoir dans un nouvel espace – grand angle –,
se déployer sans limites,
de haut en bas, d'un extrême à l'autre,
à l'INFINI.

Imprimé en Allemagne par GGP MEDIA GMBH
Pour le compte des éditions Marabout
Dépôt légal : septembre 2010
ISBN : 978-2-501-05668-7
4080933